UNE VIE
COMME NEUVE

OUVRAGES DE GEORGES SIMENON

AUX PRESSES DE LA CITÉ

COLLECTION MAIGRET

Mon ami Maigret
Maigret chez le coroner
Maigret et la vieille dame
L'amie de Mme Maigret
Maigret et les petits cochons sans queue
Un Noël de Maigret
Maigret au « Picratt's »
Maigret en meublé
Maigret, Lognon et les gangsters
Le revolver de Maigret
Maigret et l'homme du banc
Maigret a peur
Maigret se trompe
Maigret à l'école
Maigret et la jeune morte
Maigret chez le ministre
Maigret et le corps sans tête
Maigret tend un piège
Un échec de Maigret
Maigret s'amuse
Maigret à New York
La pipe de Maigret et Maigret se fâche
Maigret et l'inspecteur Malgracieux
Maigret et son mort
Les vacances de Maigret
Les Mémoires de Maigret
Maigret et la Grande Perche
La première enquête de Maigret
Maigret voyage
Les scrupules de Maigret
Maigret et les témoins récalcitrants
Maigret aux Assises
Une confidence de Maigret
Maigret et les vieillards
Maigret et le voleur paresseux
Maigret et les braves gens
Maigret et le client du samedi
Maigret et le clochard
La colère de Maigret
Maigret et le fantôme
Maigret se défend
La patience de Maigret
Maigret et l'affaire Nahour
Le voleur de Maigret
Maigret à Vichy
Maigret hésite
L'ami d'enfance de Maigret
Maigret et le tueur
Maigret et le marchand de vin
La folie de Maigret
Maigret et l'homme tout seul
Maigret et l'indicateur
Maigret et Monsieur Charles
Les enquêtes du commissaire Maigret (2 volumes)

ROMANS

Je me souviens
Trois chambres à Manhattan
Au bout du rouleau
Lettre à mon juge
Pedigree
La neige était sale
Le fond de la bouteille
Le destin des Malou
Les fantômes du chapelier
La jument perdue
Les quatre jours du pauvre homme
Un nouveau dans la ville
L'enterrement de Monsieur Bouvet
Les volets verts
Tante Jeanne
Le temps d'Anaïs
Une vie comme neuve
Marie qui louche
La mort de Belle
La fenêtre des Rouet
Le petit homme d'Arkhangelsk
La fuite de Monsieur Monde
Le passager clandestin
Les frères Rio
Antoine et Julie
L'escalier de fer
Feux rouges
Crime impuni
L'horloger d'Everton
Le grand Bob
Les témoins
La boule noire
Les complices
En cas de malheur
Le fils
Le nègre
Strip-tease
Le président
Dimanche
La vieille
Le passage de la ligne
Le veuf
L'ours en peluche
Betty
Le train
La porte
Les autres
Les anneaux de Bicêtre
La rue aux trois poussins
La chambre bleue
L'homme au petit chien
Le petit saint
Le train de Venise
Le confessionnal
La mort d'Auguste
Le chat
Le déménagement
La main
La prison
Il y a encore des noisetiers
Novembre
Quand j'étais vieux
Le riche homme
La disparition d'Odile
La cage de verre
Les innocents
Lettre à ma mère
Un homme comme un autre
Des traces de pas
Les petits hommes

GEORGES SIMENON

UNE VIE COMME NEUVE

PRESSES DE LA CITÉ

PARIS

ISBN 2-258-00123-4

PREMIÈRE PARTIE

1

IL s'attendait depuis si longtemps à une catastrophe — et à une catastrophe survenant précisément à un moment comme celui-là — qu'il fût sans terreur et pour ainsi dire sans surprise. S'il y eut un certain étonnement en lui, c'est qu'après avoir imaginé les événements les plus compliqués il se trouvait devant un fait divers banal, comme on en lit chaque jour dans les journaux.

On était vendredi. Cela ne pouvait arriver qu'un vendredi, fatalement. Pendant des années, son jour avait été le samedi et, plus tard, il avait été amené à en changer pour des quantités de raisons, surtout des raisons d'ordre pratique.

Ce changement de jour l'avait d'ailleurs chiffonné. Sans être particulièrement superstitieux, il était toujours plus anxieux les vendredis 13, par exemple. Et, le Vendredi saint, il s'abstenait.

Le mois de mars le déroutait un peu aussi, car les jours, en s'allongeant, l'obligeaient à apporter des changements à son horaire.

Son emploi du temps, depuis le matin, avait été normal. Le train avait sifflé, sous ses fenêtres, quelques secondes avant que le réveil se mît en branle, à six heures et demie du matin.

Le temps était assez tiède pour qu'il ouvrît les fenêtres, et il l'avait fait.

Peu de gens savaient où il habitait, car il ne parlait jamais de sa vie privée. M. Mallard, son patron, l'avait appris à cause des assurances sociales et de tous les papiers à remplir, et il s'était étonné que Dudon choisît de vivre si loin de son travail, rue du Saint-Gothard, au fond du XIVe arrondissement.

Or peut-être n'avait-il gardé ce logement, au coin de la rue Dareau, qu'à cause de la ligne de chemin de fer qui lui évitait d'avoir un vis-à-vis. Ainsi pouvait-il ouvrir ses fenêtres pendant qu'il préparait son café, faisait son lit, mettait la chambre en ordre, s'habillait, puis, au moment de partir, changeait l'eau des poissons rouges et versait dans le bocal un peu d'une nourriture spéciale qu'il achetait, en sachets, quai de la Mégisserie.

Pourquoi, invariablement, changeait-il l'eau des poissons alors qu'il avait déjà son chapeau sur la tête ?

Il n'aurait pas pu davantage dire pourquoi, après avoir descendu trois ou quatre marches, il remontait pour s'assurer qu'il avait bien fermé la porte à clef. Neuf fois sur dix, il était certain de l'avoir fait. Ce n'était pas un homme distrait. Il tenait encore le trousseau de clefs à la main. Néanmoins, il n'aurait pas été tranquille de la journée s'il n'était pas remonté.

Il n'avait qu'à suivre la rue Dareau pour prendre le métro avenue d'Orléans. Il ne le faisait jamais, même quand il pleuvait à torrents ; il allait à pied jusqu'à Denfert-Rochereau, où il achetait son journal avant de monter dans un wagon.

Le temps était très beau, ce matin-là. C'était le premier matin à sentir vraiment le printemps, et quelqu'un vendait des fleurs à l'entrée du métro. Une femme, à côté de lui, sur la banquette, en avait à son corsage et le parfum lui en arrivait par bouffées.

Personne ne lui souriait jamais. Il ne souriait à personne. Il y avait probablement dans le métro des gens avec qui il faisait le parcours plusieurs fois par semaine depuis des années. Certains s'adressaient entre eux de vagues saluts, échangeaient même quelques mots, lui pas. Un peu avant d'arriver à la station Etienne-Marcel, il repliait son journal avec soin, le glissait dans sa poche et se dirigeait vers la sortie.

Dans le soleil qui l'enveloppait de son pétillement et dans la forte odeur des Halles proches, il prenait la rue de Turbigo, encombrée de camions, où croisaient déjà des arroseuses municipales. L'horloge pneumatique, au carrefour, marquait deux minutes avant huit heures et demie quand il franchissait le portail entouré d'une douzaine de plaques de cuivre.

Rien d'anormal ne s'était passé ce vendredi-là. Rien d'anormal ne se produisait jamais. Les bureaux de Félicien Mallard étaient au second étage. L'ascenseur, d'un modèle ancien, était lent et parfois s'arrêtait entre deux étages, mais cela ne s'était jamais produit alors que Dudon s'y trouvait.

Mlle Tardivon l'attendait sur le palier. Il y avait une plaque de cuivre aussi sur la porte dont il était seul à avoir la clef. Mlle Tardivon était une femme entre deux âges, l'air toujours fatigué, qui portait des corsages légers sous lesquels on voyait son linge en transparence, et qui transpirait beaucoup. Au bureau, hiver comme été, elle avait des cernes de sueur sous les bras et elle se parfumait très fort.

Ils se disaient à peine bonjour. Elle ne l'aimait pas. Elle retirait son chapeau, sa jaquette et, après avoir fait bouffer ses cheveux d'un blond indécis, se mettait à ranger des gommes, des crayons, tout un attirail autour de sa machine à écrire.

Dudon ne s'occupait pas d'elle, ni des autres employés qui arrivaient coup sur coup pendant les minutes suivantes. Il avait son coin à lui. Derrière une cloison qui le séparait du reste du personnel et dans laquelle un guichet était percé.

Il changeait de veston, plaçait sur un cintre celui qu'il retirait, ouvrait le coffre-fort, la caisse, installait les registres à leur place.

La journée du vendredi n'était guère différente des autres, sauf que, jusqu'à midi au moins, une question se posait, plus obsédante à mesure que le temps passait : est-ce que son patron, M. Mallard, lui demanderait de l'argent ?

C'était un peu comme pour les trois marches d'escalier qu'il remontait le matin, une angoisse inutile. Combien de fois, en dix ans, était-il arrivé à Félicien Mallard de ne pas prendre d'argent le vendredi ? Trois ou quatre au grand maximum. Et, ces fois-ci, il s'était arrangé autrement. Il n'avait pas eu l'idée de renoncer. Il avait toujours la possibilité de s'arranger autrement, et c'était seulement un tout petit peu plus compliqué, à peine plus dangereux.

Le bureau de Mallard se trouvait de l'autre côté du palier, un vaste bureau meublé en acajou où il s'ennuyait et où, plusieurs fois par jour, il appelait Dudon sous un prétexte ou sous un autre. Il aurait pu aller se promener, se rendre aux courses ou à la campagne, faire n'importe quoi, mais il n'osait pas, il aurait cru manquer à son devoir. Il disait en partant :

— Je vais au quai de la Gare.

Et il y allait vraiment. On n'avait pas besoin de lui à l'usine. Pas plus qu'on n'avait besoin de sa femme au restaurant de la rue Rambuteau qui leur appartenait encore, mais où le gérant se tirait d'affaire tout seul.

Pour Mallard aussi, le vendredi était un jour spécial. Il s'habillait avec plus de soin, passait chez le coiffeur avant de monter au bureau. Vers onze heures et demie, il appelait Dudon par le téléphone intérieur :

— Voulez-vous avoir la gentillesse de me donner un peu d'argent ?

Il ne s'était jamais habitué, en ville, à payer ses dépenses avec des chèques. Quand il avait besoin d'argent de poche, il en demandait à son caissier, qui le lui remettait en billets. Cela lui arrivait plusieurs fois par semaine, avec la différence que, le vendredi, la somme était plus forte, parce qu'il déjeunait dans un restaurant de La Villette avec un groupe de mandataires aux Halles.

— Six mille, monsieur Mallard ?

— Ce sera beaucoup trop.

Il ne s'habituait pas non plus aux dévaluations, aux gros billets qu'il fallait emporter pour un déjeuner d'affaires. Il était presque honteux en les glissant dans son portefeuille, comme si cela n'avait pas été son argent.

Le reste était simple. Si Mallard avait réclamé six mille francs, Dudon en inscrivait sept mille, ou même huit mille dans ses livres. Personne ne contrôlait sa comptabilité, sauf en fin d'année, et M. Mallard, qui n'y connaissait rien, était incapable de se souvenir des sommes qu'il avait prises.

Les fois qu'il n'avait pas emporté d'argent le vendredi parce que le déjeuner de La Villette n'avait pas eu lieu, Dudon s'y était pris différemment. Presque chaque jour, il lui arrivait de verser de petites sommes à des voyageurs de la maison, en avance sur leurs frais, parfois en avance sur leur traitement.

Il lui suffisait d'établir une fiche au nom d'un des

voyageurs. Les trois fois, il avait inscrit Julian, qui faisait la Normandie et qui restait des semaines sans passer au bureau.

« Avance Julian : 2 000. »

Il suffisait d'attendre un jour ou deux que M. Mallard réclame de l'argent de poche pour forcer le chiffre, remettre les deux mille francs dans la caisse et détruire la fiche.

Chaque fois, Dudon avait la même sensation. Au fond, la journée du vendredi était un mélange si intime de malaise et de plaisir qu'il n'aurait pu dire s'il la voyait venir avec impatience ou avec effroi. Ce jour-là, il avait une façon différente de regarder Mlle Tardivon et les autres employés qui allaient et venaient dans le grand bureau en affectant de ne pas s'occuper de lui et en échangeant des clins d'œil quand il passait.

La catastrophe surviendrait tôt ou tard. Elle était inévitable. Pas nécessairement parce que M. Mallard découvrirait quelque chose. Ce qu'il faisait chez Mallard, sa tricherie du vendredi, n'était qu'une conséquence du reste, un accessoire. Il avait toute une théorie là-dessus, qu'il mettait au point depuis des années, peut-être depuis l'époque où il vivait encore à Saintes avec sa mère.

Rien ne paraissait à la surface. Il était le même homme que les autres jours, un homme qui les gênait tous, qui leur faisait un peu peur — même à M. Mallard — parce qu'il vivait près d'eux, sans jamais entrer en contact avec eux.

Cela aussi était compliqué. Un jour, peut-être arriverait-il à s'expliquer tout à fait ?

Quoi qu'il en soit, ce n'était pas de ces gens-là que la catastrophe pouvait venir. C'était du destin, ou de Dudon lui-même. Il lui était arrivé de se demander s'il ne pourrait pas la hâter, donner un coup de pouce au sort, mais ce n'était pas tout à fait sérieusement. Presque.

Dans son esprit, la catastrophe prendrait place entre la rue Choron, à Montmartre, et l'église Notre-Dame-de-Lorette, ou l'église de la Trinité.

Il avait sa géographie à lui, qui ne possédait de sens que pour lui. La rue Choron, une courte rue paisible, où la seule boutique était une boutique de journaux et de romans populaires, constituait un des centres principaux de cette géographie.

Il ne put pas s'y rendre tout de suite après avoir fermé le bureau, à six heures, justement parce qu'on était en mars et que les journées s'allongeaient. On voyait encore le soleil entre les cheminées des maisons et les rues étaient aussi animées qu'à midi.

Chaque année, cela le rendait maussade, mais, petit à petit, avec l'été qui succédait au printemps, il s'habituait à son nouvel horaire. Les vendredis n'avaient, cependant, leur vrai goût qu'en hiver, quand les rues étaient sombres et froides, avec du crachin, du brouillard ou de la neige fondue qui auréolait les réverbères d'une sorte de mystère.

D'abord, pour tuer le temps, il faisait tout le chemin à pied. Il ne fumait pas, à cause de sa gorge sensible. Il ne buvait pas non plus, car le moindre alcool lui donnait des brûlures d'estomac. Quand il s'arrêtait dans un bar, afin de souffler, il commandait un quart Vichy et jamais ses voisins ne lui adressaient la parole comme cela arrivait souvent à d'autres à côté de lui.

On ne l'aurait pas cru s'il avait affirmé que, jusqu'au moment de quitter le grouillement de la rue des Martyrs pour pénétrer dans la rue Choron, rien n'était décidé. Rien, en tout cas, n'était irrévocable. Il avait pris l'argent dans la caisse comme chaque vendredi. Les billets étaient pliés dans une poche à part. Il ne s'était pas dirigé vers le métro pour rentrer rue du Saint-Gothard. Mais qu'est-ce qui l'empêchait de changer d'avis au dernier moment ?

Cela ne s'était pas encore produit.

Ce jour-là, il s'assit à une terrasse des grands boulevards, près du faubourg Montmartre, pour attendre le crépuscule qui tardait comme à plaisir. Deux femmes le regardèrent d'une façon interrogative et il reconnut l'une d'elles de vue. Les deux fois, il détourna les yeux.

Il était sept heures dix et la nuit n'était pas tout à fait tombée quand, en levant la tête ainsi qu'il le faisait chaque fois, sur le trottoir de gauche de la rue Choron, il aperçut les lumières rosées de l'appartement du troisième.

Il n'y avait pas d'ascenseur dans la maison. Comme d'habitude, le rideau bougea à la porte vitrée de la concierge.

Elle savait évidemment où il se rendait. Elle ne lui avait jamais rien demandé. Elle en voyait passer d'autres. Que disait-elle à son fils, âgé d'une dizaine d'années, qu'il avait vu plusieurs fois faisant ses devoirs sous la lampe ?

Ailleurs, il n'avait aucune inquiétude, au sujet de son cœur qui avait toujours fonctionné normalement. Or, quand il montait cet escalier-ci, il ressentait des pincements dans sa poitrine, un mouvement d'éponge que l'on presse. Une crise cardiaque ne pourrait-elle pas le saisir entre le rez-de-chaussée et le troisième étage ?

C'était une des formes possibles de la catastrophe. Forme bénigne d'ailleurs, puisque cela se passerait *avant*. Il y en avait d'autres plus compliquées.

Les formes graves prenaient place entre la rue Choron et l'église Notre-Dame-de-Lorette. Qui sait si ce n'était pas pour donner plus de prise au destin que, certaines fois sans nécessité, sans raison sérieuse, il choisissait l'église de la Trinité, augmentant ainsi le délai d'un quart d'heure ?

Le palier avait une porte à droite et une porte à gauche. Pour lui, ce palier, qui devait ressembler à tous les paliers, possédait une physionomie aussi particulière que, par exemple, le confessionnal de l'abbé Lecas. Chose curieuse, les portes et la rampe étaient du même bois blond et très poli que le confessionnal. La lumière était pauvre comme dans une église, le silence d'une qualité analogue.

Il savait que la porte de gauche donnait dans le même appartement et qu'elle était condamnée. Il l'avait vue maintes fois de l'intérieur.

Près de la porte de droite se trouvait un bouton de sonnerie en os qui le faisait chaque fois penser à un œil.

Il donnait à son cœur le temps de s'apaiser, restait là un certain temps à s'assurer que personne ne montait, qu'aucune porte ne s'ouvrait aux étages supérieurs. Parfois, bien qu'il se tînt immobile, le plancher craquait sous ses pieds et son pouls était saccadé, la sensation devenait si angoissante qu'il se décidait soudain à avancer la main vers le bouton.

Le bruit du timbre était sourd, lointain, étouffé par des tentures, et c'était vrai que l'appartement était tout feutré de tentures, de draperies et de tapis.

Il n'entendait jamais Mme Germaine s'approcher de la porte, mais seulement, après un temps assez long, le frottement léger d'un verrou qu'on tire ; le battant bougeait, une fente faiblement lumineuse se dessinait à droite, un regard se posait sur lui.

-:-

Il ne consulta pas sa montre dans l'escalier, parce que, quand il descendait, le sang à la tête, les oreilles bourdonnantes, il ne pensait à rien qu'à sortir de la maison et, toujours, il fonçait très vite vers le coin de la rue des Martyrs comme si, en plongeant dans les lumières et dans la foule, il allait déjà se sentir en sécurité.

La boutique de journaux était mal éclairée. L'horloge, au-dessus du bar qui faisait le coin, marquait huit heures et quart. Le ciel, entre les toits, était peuplé d'étoiles clignotantes.

Il n'avait qu'une centaine de mètres à parcourir et, rituellement, il changeait de trottoir.

Comme il se trouvait au milieu de la rue où il était le seul être vivant, une intuition l'avertit du danger, lui fit tourner la tête à gauche, et il eut juste le temps de voir deux grosses lumières qui fonçaient sur lui. C'étaient des yeux énormes qui le visaient, et il n'essaya pas de leur échapper, ne se mit pas à courir pour se garer.

Simplement ses prunelles s'écarquillèrent et il reçut le choc partout, cependant que sa tête éclatait.

Il ne cria pas. En tout cas, il n'eut pas conscience de crier, ni de gémir. Il n'avait conscience de rien, sinon d'être étendu par terre et de voir les étoiles scintiller au-dessus de sa tête.

C'était arrivé.

Peut-être était-il mort ou allait-il mourir ?

Il ne souffrait pas, ne sentait pas son corps. L'envie ne lui vint pas de bouger. Il avait la certitude que c'était inutile.

Cela ne le regardait plus. Il n'avait plus rien à faire. Ses responsabilités avaient pris fin.

Des gens commençaient à s'agiter dans un monde qui n'était plus le sien ; il ne se rendait pas encore compte qu'il suivait leurs faits et gestes avec curiosité et les enregistrait.

Il était à leur merci, autant, sinon plus, qu'un nouveau-né. L'auto, en s'arrêtant, avait crié de tous ses freins et de ses pneus, et il lui semblait qu'elle était montée sur le trottoir. Des hommes, des femmes marchaient, gesticulaient, parlaient à voix basse autour de lui et c'était la première fois qu'il voyait des humains sous cet angle, de bas en haut, avec de longues jambes qui ressemblaient à des colonnes et des visages déformés par la perspective.

Sa peur, parce qu'il était par terre, était qu'ils lui marchent dessus, et tous ces pieds qui le frôlaient acquéraient une importance capitale.

Sans doute n'était-il pas tout à fait mort ? Mais, alors, pourquoi n'avait-il pas le désir de remuer et d'entrer en communication avec eux ?

Le destin ne lui avait pas laissé le temps de se confesser, ainsi qu'il avait l'habitude de le faire chaque vendredi en quittant la rue Choron. Il était couvert de péchés. Il se sentait gluant de péchés.

Mais il ne se révoltait pas, car, depuis toujours, il savait que cela arriverait ainsi.

— Vous feriez mieux de ne pas le toucher, au cas où la colonne vertébrale serait fracturée.

— Y a-t-il un médecin à proximité ?

— Attendez ! Voilà un agent. Il doit savoir.

Cela n'avait aucun sens, aucune importance. Des gens s'accroupissaient pour le regarder de plus près et l'agent lui braqua sa torche électrique sur le visage. Deux personnes au moins, dont une femme, saisirent tour à tour son poignet pour s'assurer que son pouls battait encore.

— Il n'est pas mort ?

Ils étaient assez loin du réverbère. Les phares de l'auto, restés allumés, éclairaient, à la façon d'un projecteur de théâtre, une façade à laquelle ils donnaient l'air irréel d'un décor.

Il y avait un personnage très grand, aux fines moustaches, à l'air plus important que les autres, qui tendait une carte de visite à l'agent et qui lui disait en homme habitué à être obéi :

— Prévenez un médecin tout de suite. Appelez une ambulance.

— Je vais demander celle du poste.

Ce qu'il n'avait pas prévu, quand il avait imaginé tout ce qui pourrait arriver, c'est qu'il serait couché par terre. Et cela changeait tout.

— Si j'allais chercher un oreiller pour lui glisser sous la tête ? proposa une femme qu'il soupçonna être la marchande de journaux.

Et, plus bas, désignant les pavés :

— C'est du sang ?

— Il ne faut rien toucher avant l'arrivée du médecin.

— Vous croyez qu'il entend ?

Aurait-il pu leur répondre qu'il entendait ? Etait-il capable de parler ? Probablement. Il n'en savait rien. Cela ne l'intéressait pas. Sa grande peur était qu'une bousculade se produisît et que quelqu'un lui marchât sur les mains.

On avait parlé de sang et il ignorait s'il saignait. Peut-être serait-il mort quand le docteur arriverait ?

— Pourquoi ne le transporte-t-on pas à la pharmacie des Martyrs ? C'est à deux pas, et ils ont l'habitude des blessés.

— Comment est-ce arrivé ?

Il crut comprendre que celui qui répondait était l'homme grand et bien habillé, celui qui avait donné des ordres à l'agent et qui était sans doute le propriétaire de l'automobile.

— Je ne roulais pas vite. Je ne comprends pas ce qui s'est passé. Je venais de tourner le coin de la rue Rodier et je tenais ma droite quand j'ai vu une silhouette se précipiter. J'ai freiné tout de suite, mais il était déjà trop tard.

Il ne pensa pas que c'était faux, qu'il ne s'était pas précipité, qu'il avait atteint déjà le milieu de la rue quand le choc s'était produit et que les phares l'avaient poursuivi comme pour le traquer.

— Nous ferions mieux de nous écarter et de lui laisser de l'air.

Un petit homme affairé, dont les mains sentaient le tabac comme des mains de coiffeur, s'agenouillait près de lui et le tâtait avec des gestes professionnels. Il ne lui posait pas de questions, ne lui adressait pas la parole. Dudon était en dehors du coup.

S'il avait pu tourner un tout petit peu la tête, il aurait sans doute aperçu, en dessous des étoiles, les fenêtres roses du troisième étage, et peut-être étaient-elles ouvertes ; beaucoup de fenêtres s'étaient ouvertes et des curieux s'y penchaient.

Depuis que le médecin était arrivé, on ne parlait plus à voix haute et les gens se groupaient à distance pour chuchoter. Le propriétaire de l'auto était maintenant sur le trottoir, à parler à mi-voix à un nouvel agent de police.

La concierge était-elle sortie de sa loge ? Si elle s'approchait, elle le reconnaîtrait et peut-être leur dirait-elle d'où il sortait au moment de l'accident.

Cela lui était indifférent. On avait pris son portefeuille dans sa poche. On lui avait retiré sa cravate et déboutonné la ceinture de son pantalon.

Il eut peur qu'on le déshabille devant tout le monde et il se demanda si, dans ce cas, on pourrait s'apercevoir de ce qu'il venait de faire. C'était stupide.

On dut lui toucher — sans doute le docteur ? — une partie sensible, car une douleur aiguë traversa, comme une lumière, sa tête de part en part. Il crut entendre un cri. Etait-ce lui qui l'avait poussé ? Il cessa de voir les étoiles entre les toits, les jambes autour de lui, les visages, très loin, dans une vertigineuse perspective. Tout bascula, sombra d'un seul coup, mais cela ne l'empêcha pas, plus tard, de comprendre qu'on l'installait sur un brancard.

Le supplice ne commença réellement que quand l'ambulance se mit en route. Pourtant, il ne sentait pas les cahots. C'était une impression très différente. Il était comme aspiré en avant, ou plutôt certains de ses organes, son cerveau en particulier, étaient attirés et se heurtaient douloureusement à un obstacle.

Il n'ouvrit pas les yeux. On lui tenait le poignet. L'ambulance devait traverser le centre de la ville, car un orchestre de bruits comme il n'en avait jamais entendu de sa vie lui parvenait par vagues.

— Je vous demande pardon, mon Dieu !

C'était la phrase qu'il avait prononcée toute sa vie, qu'il balbutiait déjà chaque soir dans son lit d'enfant quand sa mère n'était pas encore couchée et qu'il apercevait un trait de lumière orangée sous la porte.

— Je vous demande pardon de tous mes péchés.

Il le disait sans ferveur, sans conviction. Il ne l'avait jamais pensé avec autant de détachement. Parce qu'il était trop tard. C'était fini. La catastrophe s'était produite et, s'il n'était pas encore mort, il avait envie de mourir tout de suite, pour échapper à cette succion qui lui arrachait la cervelle.

Demain matin, en arrivant au bureau, M. Mallard...

C'est drôle, il ne parvenait plus à imaginer les traits de son patron, qui se confondaient avec ceux de l'homme qui l'avait renversé.

— Tu es sûr que c'est à gauche ?

— La troisième à gauche dans la rue de la Pompe. J'y suis déjà allé. Il y a un portail avec une lanterne en fer forgé de chaque côté.

Il restait en suspens, guettant la seconde à laquelle le mouvement cesserait enfin et où il jouirait peut-être d'un peu de répit. Le bruit des roues sur le sol, celui du moteur changèrent. Il dut crier une fois encore alors que l'ambulance s'arrêtait dans une cour, car la douleur au lieu de s'atténuer, comme il l'avait espéré, changeait soudain de bord comme un liquide qui heurte tour à tour les parois d'un vase.

Il pensa au bocal de poissons rouges.

On l'emportait. Une cage se soulevait avec lui, probablement un ascenseur. Soudain, ils étaient quatre, ou six, ou dix autour de lui, dans une lumière terrible comme des coups de cymbales, des hommes, des femmes, tous en blanc, qui allaient et venaient en prononçant des mots mystérieux comme les officiants autour de l'autel.

On ne lui demandait toujours rien. On ne s'adressait pas à lui. C'était un cauchemar. Préalablement tout cela n'était-il qu'un cauchemar et allait-il être réveillé par le passage d'un train devant sa fenêtre ouverte ?

Des mains erraient sur son corps et il avait conscience qu'on lui retirait son pantalon, son linge. Il voulut protester. Il avait une peur atroce qu'on le mît nu.

Un énorme visage d'homme roux lui souriait et il aurait juré que son sourire était sarcastique, que l'homme l'attendait depuis toujours et savait tout.

— Mon Dieu, je vous demande pardon pour mon péché.

Cela n'avait aucun sens. Il ne parlait pas plus que les deux poissons rouges dans leur bocal ? Est-ce que seulement ses lèvres remuaient ? Ce n'était pas sûr.

Ils échangeaient des signes, autour de lui. Ils préparaient quelque chose et ils étaient sérieux, affairés, contents d'eux-mêmes.

Il était nu et la lumière, toute la lumière du monde lui entrait dans la tête où elle se heurtait violemment à des vagues de ténèbres. C'étaient comme deux flots qui s'affrontaient et qui faisaient mal, si mal...

Il aperçut la seringue aux mains d'une infirmière qui le regardait fixement en poussant le piston pour faire sortir les bulles d'air. Il essaya de s'agiter, de protester, de s'enfuir, car la seringue était énorme, avec une aiguille qui lui parut aussi longue et aussi grosse qu'un crayon.

Le visage de l'homme roux, tout près de lui, si près qu'il le touchait presque, souriait férocement. Ce fut la dernière image. On le retournait. Tout basculait à nouveau. Le monde roulait sens dessus dessous en même temps que la grosse aiguille s'enfonçait dans sa colonne vertébrale qui craquait.

Il était sûr qu'elle craquait, que son corps entier craquait, que, cette fois, c'était fini, qu'il était mort, et, sa première stupeur passée, il se dirigea à tâtons vers le néant, tout nu, tout sale, avec l'odeur de son péché qui lui collait à la peau.

Il y avait encore des voix quelque part, des heurts d'objets, des sons étonnamment clairs, d'une netteté inaccoutumée, mais c'était bien, cette fois, dans un autre monde qui n'avait plus rien de commun avec lui.

La preuve, c'est qu'il n'avait plus mal, qu'il était sans poids, sans consistance.

Ils faisaient ce qu'ils voulaient. L'homme roux s'était couvert le bas du visage d'un masque, portait de grandes bottes rouges, tenait ses doigts écartés dans des gants de caoutchouc rouge. Les autres s'agitaient autour de lui en une sorte de ballet, tendant des instruments étranges et brillants.

Sous un éclairage déchirant, il y avait, dans des linges blancs, une forme humaine, une tête, un cœur, des bras, des jambes qu'ils s'efforçaient de garder en vie.

2

UNE première fois, il faillit revenir à la surface, et ce fut une expérience d'une saveur inconnue. Il flottait dans les ténèbres, sans forme ni consistance. Peut-être était-il encore Maurice Dudon, mais alors un Maurice Dudon qui n'avait pas d'âge, pas de passé. Or, quand il eut l'impression qu'il allait émerger, il se sentit gonflé d'une humeur enjouée, espiègle.

Il y avait de la lumière, de l'autre côté, douce, dorée. Dans un monde tiède et ouaté, une femme parlait d'une voix aux inflexions tendres. C'était évidemment une erreur, mais il lui semblait que des bouffées de pâtisserie chaude lui parvenaient, comme chez une de ses tantes, autrefois.

Ses yeux étaient clos. Il ne tenait qu'à lui de les ouvrir et il en retardait l'instant à plaisir. La vérité, si enfantine qu'elle parût, c'est qu'il voulait se faire une surprise. Peut-être aussi avait-il un peu peur d'une déception ?

Comme un enfant qui entrebâille une porte et n'y risque qu'un œil, prêt à une retraite précipitée, il ne fit d'abord qu'écarter imperceptiblement les cils, et sa première découverte l'enchanta.

Deux fenêtres, devant lui, étaient munies de stores vénitiens aux lattes jaunes et laquées qui laissaient filtrer de minces tranches de soleil. Or il avait toujours rêvé de stores vénitiens. Il ne savait plus où il en avait vu ; il y en a dans presque tous les films américains, imprimant des traits de lumière vivante sur les murs, les meubles et les personnages. Peut-être y avait-il des clartés qui frétillaient sur son oreiller et sur son visage ?

Deux êtres au moins se tenaient dans la pièce, puisqu'il avait entendu un murmure de voix. Sans bouger la tête, sans écarter davantage les cils, il en découvrit un, assis sur une chaise blanche, et eut envie de sourire.

C'était Félicien Mallard, avec sa longue tête osseuse de paysan et ses moustaches toujours un peu tombantes. Il devait être là depuis longtemps, sans oser allumer sa pipe, mal à l'aise, ne sachant comment se comporter, son chapeau sur les genoux, embarrassé de ses mains, de tout son corps, de son regard.

Autrefois, c'était son patron. Mallard jouait un rôle important dans sa vie, et Mme Mallard, les pâtés Mallard, le restaurant Mallard, la fille Mallard enfin, Françoise, qui était depuis deux ans dans le plâtre et qui avait un peu les mêmes yeux que son père. C'étaient des tristes, des inquiets. Son destin l'avait toujours mis en contact avec des gens qui avaient scrupule à vivre et, tout à coup, voyant Félicien figé sur sa chaise comme dans un album de famille, il prenait conscience de sa délivrance.

Il ne pensa pas aux billets de mille francs, ni aux écritures truquées. Il ne pensa pas non plus au péché. Il était propre dans des draps propres, dans un lit propre, dans une chambre blanche où de fines raies de soleil mettaient une atmosphère dorée, et il se dit qu'il n'avait aucune raison de se réveiller à présent, qu'il lui suffisait de refermer les paupières et de retourner doucement dans ses limbes.

Le truc ne réussit pas. Il ne réussissait jamais avec sa mère non plus, quand il essayait de se rendormir à son insu. Sans avoir besoin de le regarder, elle disait :

— Je sais que tu ne dors pas. Lève-toi. A ton âge, on ne traîne pas dans son lit.

Ce n'était pas sa mère qui était ici, mais une femme beaucoup plus jeune, assez grosse et pourtant légère, coiffée d'un bonnet empesé, qui se pencha sur lui en souriant.

Il n'osa pas tricher plus longtemps. Il l'examina sans surprise, sans crainte. M. Mallard s'était levé avec un soupir, et elle devait lui avoir adressé un signe, car il s'approchait du lit sur la pointe des pieds en se composant un visage.

Il était grand, comme le propriétaire de l'auto, plus maigre et plus dur. Tous les deux portaient la moustache. Son père aussi. C'était curieux : les moustaches de son père, cela le frappait pour la première fois, ressemblaient, en blond, à celles de Félicien Mallard.

— Ne vous agitez pas, murmurait l'infirmière.

Il aimait déjà sa voix aux sonorités graves.

— Vous avez encore besoin de repos. C'est la troisième fois que M. Mallard vient prendre de vos nouvelles.

Et celui-ci prononçait avec une fausse légèreté :

— Je suis rassuré, maintenant, monsieur Maurice. Mais vous nous avez fait peur. Tout va bien, puisque, ce matin, le docteur Jourdan répond de vous. Ce n'est plus qu'une question de jours.

Il était encore plus gauche, plus ridicule debout près du lit que sur sa chaise.

— On m'a recommandé de ne pas vous fatiguer. Sachez seulement que ma femme et moi, ainsi que tout le personnel...

Dudon ne fit pourtant aucun effort. Il était détendu. Il écoutait, amusé, cette voix de son passé. Or, ce fut plus brutal que rue Choron. Il suivait du regard la silhouette blanche de l'infirmière qui était allée prendre un verre sur la table pour y laisser tomber des gouttes brunes et il dut faire un mouvement à son insu. Une pointe, aussitôt, comme si elle ne guettait que ce moment d'inattention, s'enfonça sous son crâne où, sans transition, la fantasmagorie des douleurs recommença.

Il ne perdit pas immédiatement conscience, eut le temps de se rendre compte qu'on poussait M. Mallard dehors, que l'infirmière se précipitait dans le corridor et déclenchait une sonnerie qui lui fit penser à un avertisseur d'incendie ; il entendit des pas précipités mais, quand on parla autour de lui, les sons n'avaient déjà plus aucun sens.

Après, il eut la fièvre. Il le savait, car cela ressemblait à ce qu'il avait ressenti lorsqu'il avait failli mourir de la grippe espagnole. Il avait horriblement chaud. Son corps, son lit brûlaient. Même quand il gardait les yeux clos, les lignes de lumière pénétraient dans sa tête et lui faisaient mal. A d'autres moments, une petite lampe à abat-jour jaune brûlait dans un coin de la chambre et l'infirmière avait dû deviner sa souffrance, car elle avait fabriqué un écran supplémentaire avec du gros papier.

De toute façon, il y avait une lumière et il ne perdait jamais conscience de sa présence. Il y avait aussi une femme en blanc, grosse et légère, qui veillait sur lui et ne le laisserait pas mourir. A certaines heures, des hommes venaient, peut-être l'homme roux du premier jour, et lui prodiguaient des soins mystérieux.

Tout cela ne l'inquiétait pas, au contraire. Ce n'était plus son affaire. Ils l'avaient pris en charge et il leur faisait confiance au point de ne pas s'intéresser à leurs efforts.

Seulement, loin de la lumière douce, de l'autre côté, existait un monde auquel ces gens-là n'avaient pas accès et dans lequel il plongeait sans le vouloir. Cela ne l'effrayait pas non plus. Il ne se débattait pas. Pour la première fois de sa vie, il naviguait sans angoisse dans des régions qui lui avaient toujours été familières, mais qu'il voyait avec d'autres yeux.

La bouée était là, rassurante ; il voulait dire la lampe ou les traits de lumière des persiennes. Il pouvait la lâcher et la retrouver à sa guise, sauf dans les moments où les douleurs prenaient possession de sa tête. Alors, même, ce n'était jamais long. Est-ce qu'il criait, gémissait, grimaçait ? L'infirmière était là aussitôt et lui faisait une piqûre qui, après quelques instants, l'imprégnait de bien-être.

C'était facile. Rien ne l'empêchait de jouer, d'autant plus librement, maintenant, que tout cela était fini. M. Mallard l'avait-il compris ? Etait-il venu le voir comme on va voir un employé à l'hôpital ? Ou bien se rendait-il compte que Dudon appartenait désormais à un monde différent du sien ?

Cela, c'était une certitude, comme, toute sa vie, cela avait été pour lui une certitude que la catastrophe surviendrait un jour.

Or, à quoi bon une catastrophe si c'était pour recommencer comme avant ? Hein ? A quoi bon ?

Il ne se préoccupait pas de la façon dont cela se passerait. Encore une fois, cela ne le regardait pas. Le destin s'était chargé de lui et c'était au destin de se débrouiller.

Par moments, cela le faisait rire, lui qui n'avait pour ainsi dire jamais ri de sa vie. Jamais non plus il n'avait connu cette humeur-là, même quand il sortait du confessionnal de l'abbé Lecas ou de l'abbé Groult, avec la sensation d'avoir blanchi son âme.

Cette sensation, d'ailleurs, ne durait jamais.

C'était une illusion. Pendant un quart d'heure à peine, il marchait dans les rues d'un pas léger, sautillant, avec l'impression de l'avoir une fois de plus échappé belle. Mais, en définitive, c'était un peu comme s'il était allé déposer son paquet de saletés dans la pénombre du confessionnal.

C'était une idée de sa mère, pas une idée à lui.

Quand elle le prenait à mentir, à chiper un morceau de chocolat, ou quand il lui répondait d'un ton boudeur, elle ne le giflait pas, n'élevait pas la voix. Elle soupirait :

— Va vite te confesser ! Il ne faut pas risquer de mourir en état de péché.

Plus tard, lorsqu'il avait eu dix ans, elle précisait :

— Je ne veux pas que tu meures comme ton père, en état de péché mortel.

Il ne se souvenait pas de la maison où il était né et dans laquelle il avait vécu jusqu'à sa troisième année. Il en avait souvent revu la façade, en passant, mais n'y était jamais rentré. C'était une des plus belles maisons de Saintes, toute en pierre, aux fenêtres très hautes, avec une terrasse qui surplombait la rivière et une balustrade flanquée de statues. Pendant des années, il s'était fait une idée extravagante de son aspect intérieur.

Pour lui, c'était une maison pleine de péchés. Or, dans la bouche de sa mère, les péchés devenaient des êtres vivants, quasi matériels, auxquels son imagination avait donné les formes les plus biscornues.

Son père avait vécu dans le péché. Ce péché-là, plus que tous les autres, était une chose presque concrète, qu'on aurait en quelque sorte pu toucher de la main.

Les péchés avaient une vie propre, un poids, une odeur.

Il ne se rappelait pas son père vivant, mais il avait vu ses photographies et, même sur celles-ci, il lui voyait comme une auréole de péché.

Son père les avait ruinés. Cette ruine aussi, dans la bouche de sa mère, devenait matière. Elle disait :

— *Il a mangé ma fortune.*

Et, comme si cela n'était pas assez, elle ajoutait :

— *Il nous a mis sur la paille.*

Il buvait. Cela avait frappé l'esprit de Dudon, pour qui la grande maison de la rue de l'Evêché était imprégnée d'une forte odeur d'alcool.

— *Il cachait des bouteilles dans tous les coins, parfois sous son matelas. J'en ai retrouvé dans ses bottes de chasse.*

Ses moustaches devaient sentir l'alcool, comme celles de M. Mallard quand il rentrait au bureau après un déjeuner d'affaires.

— *Quelquefois ton père disparaissait pendant une semaine et plus, et tout le monde, à Saintes, savait qu'il était en train de faire la vie à Bordeaux, dans les quartiers les plus crapuleux.*

Plus tard, il était allé rôder autour de ces quartiers dans certaines rues, à certaines heures, exprès, pour renifler dans les encoignures la fameuse odeur du péché.

— *Il revenait maigre et crotté comme un chien errant.*

C'est pourquoi certains chiens des rues lui avaient toujours fait penser à son père.

— *Quand il est arrivé au bout de son rouleau, il a préféré se détruire, sans se soucier de ce que nous deviendrions.*

Sa mère n'inventait pas. Elle n'était pas folle. Et c'était vrai qu'elle n'osait pas regarder les gens dans les yeux parce qu'elle avait honte.

— Il a choisi de se trancher la gorge dans un hôtel borgne où il vivait depuis trois jours avec une sale femme. Elle était si saoule, quand c'est arrivé, le matin, qu'elle ne s'est aperçue de rien avant midi. On l'a retrouvé, vidé de son sang, son rasoir à la main, étendu dans le cabinet de toilette.

Il en avait gardé la terreur des rasoirs. Pourtant, il ne s'était jamais décidé à employer un rasoir de de sûreté. Chaque matin, en passant la lame brillante sur le cuir qui pendait à côté de sa fenêtre, il avait un frisson.

— Pour t'élever, j'ai été jusqu'à faire des ménages, mais, de cela, tu ne te souviens pas.

A vrai dire, il n'était pas très sûr qu'elle eût fait des ménages. Les autres membres de la famille n'en parlaient pas. Elle évitait ce sujet devant eux. C'étaient des gens riches, importants, les Charlebois. Un des frères de sa mère était notaire à Angoulême — il était mort l'année précédente et son fils aîné avait repris l'étude — et une de ses sœurs était mariée à un gros négociant en eaux-de-vie de Cognac.

— Ils ne se sont pas dérangés pour l'enterrement. J'étais seule, à huit heures du matin, en hiver, derrière le corbillard.

— Et moi ?

— Toi, je t'avais confié à une voisine, car nous n'avions plus de domestiques.

C'était drôle de voir les mots, comme une pâte, prendre tout à coup consistance. Même quand il ouvrait les yeux et voyait la lampe allumée dans un coin de sa chambre, le profil de l'infirmière qui lisait et se tournait aussitôt vers lui avec un sourire, les images restaient différentes de ce qu'elles étaient autrefois et il pouvait les regarder sans peur.

Peut-être lui arrivait-il de sourire ? Il questionnerait la garde, un jour, sur ce point-là. A moins qu'une fois qu'il serait guéri la vie reprenne son ancien aspect ?

Cette pensée le faisait se débattre comme dans un mauvais rêve. Il ne fallait à aucun prix que cela se produise. Il appelait au secours. On allait l'aider. On *devait* l'aider.

D'ailleurs, ce ne serait pas nécessaire, il le sentait. Il pouvait, tout seul, en finir avec ses ombres, sans bouger, du fond de son lit, et, quand le moment viendrait, il ouvrirait les yeux tout grands et commencerait à vivre.

L'abbé Lecas avait un visage chevalin, les pommettes saillantes. Pendant la confession, un doigt sur la tempe, il regardait fixement devant lui, l'air absent, et, quand son pénitent se taisait, il prononçait d'une voix monotone :

— Mon fils, vous direz trois dizaines de chapelet.

Invariablement trois. Il ne questionnait pas, ne discutait pas, ne donnait pas de conseils. C'était trop facile, et, souvent, Dudon en avait des scrupules. Il avait été une fois sur le point de demander :

— Vous avez bien entendu ce que je vous ai dit ?

Comme pour mettre son confesseur à l'épreuve, il s'était ingénié, au lieu d'énumérer ses péchés, à les décrire en détail, de façon à les rendre plus laids.

— Mon fils, vous réciterez trois dizaines de chapelet.

— Ne croyez-vous pas, mon père, que je suis un grand pécheur ?

— Nous sommes tous de grands pécheurs.

— Et si je n'avais pas la contrition ? Si je venais seulement ici, tout de suite après mon péché, parce que j'ai peur de mourir ?

C'était un homme jeune, d'une quarantaine d'années environ, comme Dudon.

— Comment pouvez-vous savoir si vous n'avez

pas la contrition ? Pourquoi douter de la grâce de Dieu ?

Peut-être, si Dudon avait insisté, aurait-il fini par se fâcher ?

L'abbé Groult était différent. Il y avait toujours trois ou quatre pénitentes à attendre devant son confessionnal. Il prisait. Il était vieux, avec des cheveux fous et soyeux autour de sa calvitie. De temps en temps, il tirait de sa soutane un immense mouchoir rouge à ramages qu'il déployait avant d'y enfouir son gros nez et de souffler de toutes ses forces.

— Pourquoi retournez-vous dans cette maison ?

— Je ne peux pas m'en empêcher.

— Et ce désir vous prend nécessairement le vendredi ?

Il avait de gros yeux pleins d'eau et, par instants, on aurait pu croire que son regard en coin était goguenard.

— Essayez donc, vendredi prochain, en quittant votre bureau, d'entrer dans une église et de prier.

— Oui, mon père.

Celui-là s'intéressait à son cas à sa façon, lui prodiguait des conseils pratiques.

— La solution serait peut-être de vous marier.

— J'ai quarante ans, mon père.

— D'autres se sont mariés plus tard et ont été heureux. N'y a-t-il pas, dans votre bureau, quelque honnête fille qui accepterait ?...

Mlle Tardivon, avec son long visage et ses demi-cercles de sueur sous les bras !

L'abbé Groult lui avait même conseillé de petits trucs.

— Tâchez de vous créer un intérêt dans la vie, la peinture, la musique, que sais-je ? Choisissez-vous une activité. Jouez au billard, collectionnez des timbres...

Il allait rarement voir l'abbé Groult, d'abord

parce que la Trinité était plus loin de la rue Choron que l'église Notre-Dame-de-Lorette, ensuite parce qu'il avait l'impression que le vieux prêtre ne le prenait pas très au sérieux, et s'il ne le prenait pas au sérieux, si cela devenait un jeu entre eux, la confession avait-elle encore la même valeur ?

L'abbé avait été jusqu'à lui dire :

— Arrangez-vous pour passer une semaine, puis deux...

Ni l'un ni l'autre n'avaient compris Dudon. Comment leur aurait-il montré le visage de son péché ? Même lui, il fallait qu'il eût maintenant la fièvre pour s'en rendre soudain compte, pour comprendre, par exemple, que cela commençait avec la rue Choron, tout de suite après le bar qui fait le coin de la rue des Martyrs, et que les lumières roses du troisième étage, vues d'en bas, en étaient partie intégrante.

C'était si vrai qu'il lui suffisait de renifler l'odeur de la rue et de lever la tête vers ces fenêtres-là pour entrer en transe.

L'escalier comptait, qui ne ressemblait à aucun escalier, le rideau en guipure de la loge de concierge, le bouton de corne qui le regardait comme un œil, à droite de la porte, et la présence invisible, dans l'appartement feutré, de Mme Germaine.

Avant qu'il entre, elle chuchotait d'une voix mystérieuse, chaude de complicité :

— Bonsoir, ami.

Elle entrouvrait juste assez l'huis pour le laisser se glisser. Derrière la porte pendait un épais rideau de velours sombre dans lequel on s'enlisait, qu'il fallait écarter des deux mains, et le passage qui conduisait au salon n'était éclairé que par la vague lueur qui venait de celui-ci.

Parfois, elle le laissait là, debout, et, quand elle rentrait dans le salon, il restait seul dans le noir.

— Chut ! je viens vous chercher dans un instant.

Elle devait avoir une cinquantaine d'années, mais était très fraîche, ronde et potelée, avec des cheveux argentés aux reflets mauves, des seins remontés très haut dans le corsage, presque sous son menton, une chair d'un rose tendre et un sourire pétillant.

N'était-ce pas déjà le péché ? Sous la cheminée de marbre blanc, des charbons brûlaient doucement dans la salamandre et il régnait une odeur lourde et sucrée ; les lampes avaient des abat-jour de soie saumon, les coussins, la grande poupée sur le divan étaient en soie chatoyante.

— Asseyez-vous, ami. Qu'est-ce que vous racontez de nouveau ?

Un gros chat pelucheux, qui semblait rose aussi, était toujours roulé en boule dans un fauteuil. Des gravures galantes garnissaient les murs. Des magazines lestes traînaient sur les guéridons.

— Marcelle va venir dans une minute. Vous permettez ?

C'était elle qu'il retrouvait plus tard, entre deux portes, toujours dans la demi-obscurité, pour le reconduire jusqu'au palier.

— A la semaine prochaine, ami.

Il était pris d'un tel vertige, en sortant, qu'il aurait pu se heurter aux murs comme un hanneton et jamais il n'avait osé tourner les yeux vers la loge de la concierge.

— *Tu finiras comme ton père et tu mourras sans confession !*

Est-ce que sa mère l'aimait ? Lui en voulait-elle, à son insu, d'être le fils de celui qui l'avait mise sur la paille ?

Elle n'y était pas restée longtemps puisque, après un an de veuvage, une de ses tantes était morte en lui léguant deux maisons. La tante, qui habitait Rochefort, en possédait une vingtaine, dans des quartiers ouvriers, à Saintes et ailleurs, qu'il avait fallu partager avec les autres héritiers. C'est à cause de cette succession, justement, qu'on avait renoué les relations avec les Charlebois et qu'on était allé plusieurs fois à Angoulême, une fois même à Cognac pour le mariage d'une cousine.

Malgré les deux maisons, ils restaient pauvres. Ils habitaient un logement au premier étage d'une de ces maisons-là et il avait toujours entendu parler d'argent presque autant que de péché, et il avait toujours vu compter les sous.

Maintenant qu'il envoyait à sa mère des sommes suffisantes pour vivre confortablement, elle n'avait pas déménagé, ni changé quoi que ce fût de son existence. Elle se plaignait autant. Il allait la voir chaque année, car elle refusait d'entreprendre le voyage de Paris. Il ne la trouvait pas vieille. Elle lui avait toujours paru vieille, et, toujours aussi, elle s'était habillée avec les rebuts des autres : des robes et des chapeaux que ses sœurs lui donnaient.

Il n'était pas convaincu qu'elle ne le faisait pas exprès d'être ridicule et pitoyable. Elle avait pris, les dernières années, l'habitude de passer ses fins d'après-midi dans le coin le plus sombre de l'église, à remuer les lèvres en fixant une statue de la Vierge devant laquelle elle faisait brûler une bougie.

— *Je prie pour le repos de l'âme de ton père et pour le salut de la tienne, sans oser espérer que Dieu m'entende.*

Il n'avait jamais pris de vraies vacances. Il n'avait jamais eu d'amis. Il n'avait pas essayé d'en avoir et il lui arrivait, comme à sa mère, de raser les maisons en évitant le regard des passants.

Maintenant, c'était fini. A travers sa fièvre, il en avait la conviction et il pouvait utiliser de longues heures à feuilleter son invisible livre d'images.

C'était sa tâche à lui. Les autres s'occupaient de

son corps, de sa tête qui, par moments, lui faisait si mal. Il devinait parfois l'angoisse qu'ils essayaient de lui cacher. Il savait que des complications étaient survenues, qu'il était question d'un caillot qui n'aurait pas dû se former, et une civière roulante l'avait conduit deux fois sous la lumière cruelle de la salle d'opération.

Parfois des gens venaient pour le voir, il ne savait pas qui, sans doute Mallard, ou Mme Mallard, peut-être Mlle Tardivon, ou sa concierge de la rue du Saint-Gothard. Au fait, il ne savait pas si on avait prévenu sa mère. L'accident avait dû être relaté dans les journaux, mais il arrive que soient seuls publiés le prénom et les initiales.

De toute façon, c'était sans importance. Son infirmière ne laissait entrer personne. Quand on frappait des coups discrets à la porte, elle allait dans le couloir, où il l'entendait parler à mi-voix.

La nuit, elle dormait sur un lit pliant qu'elle déployait entre les deux fenêtres ; il lui arrivait de s'absenter et alors il apercevait un homme maigre, tout en blanc, lui aussi, un calot sur la tête, qui s'asseyait à sa place.

Il était convaincu que la guérison serait lente et rien ne le pressait. Il avait, de son côté, un travail à accomplir et il ne pouvait le faire que petit à petit, très peu à la fois, car sa tête le faisait vite souffrir, et alors on lui donnait une piqûre.

Il mettait au point l'histoire des Mallard, qu'il ne reverrait peut-être jamais. Tous ces gens-là, en somme, y compris sa mère, il n'avait pas l'intention de les revoir.

Il lui était arrivé de penser à ses poissons rouges, qu'il entourait jadis de tant de soins. Il s'était demandé si quelqu'un avait eu l'idée de changer leur eau, puis s'était souvenu que personne n'avait la clé de son logement, pas même la concierge. S'il pleuvait, il pleuvrait dans la chambre à coucher, car il en avait laissé les fenêtres ouvertes. Qu'est-ce qu'on avait fait de ses clés, de ses vêtements, de tout ce qu'il y avait dans ses poches ?

En ce qui concernait les poissons rouges, il avait d'abord eu une inquiétude, un vague sentiment de culpabilité. Puis, presque tout de suite, il s'en était moqué.

Qu'ils crèvent !

Il ne les reverrait plus. Sa concierge ne l'aimait pas, bien qu'il s'essuyât toujours les pieds avant de s'engager dans l'escalier. On aurait dit, à sa façon de le regarder, qu'elle avait peur de lui.

Sa mère aussi, au fond ! C'était peut-être toute l'explication. A l'école, déjà, les gamins se précipitaient vers un autre coin de la cour quand il s'approchait d'eux. Lorsqu'il était passé au conseil de révision — c'était la première fois qu'il se mettait nu devant des hommes — on avait eu l'air de se débarrasser de lui en le déclarant tout de suite inapte au service. Il relevait de la grippe espagnole, soit, et son foie en était resté délabré, mais on l'avait liquidé trop vite, comme avec soulagement.

Les gens devaient se figurer qu'il n'était pas comme eux, ou qu'il le faisait exprès de les fuir. Or ce n'était pas vrai. Il aurait volontiers pris la place qu'on lui aurait offerte parmi les autres et se serait efforcé de se rendre agréable.

La preuve, ce qui s'était passé avec les Mallard. Il les connaissait depuis quinze ans et parfois on aurait pu croire qu'ils étaient amis. Il était au courant de leurs affaires les plus intimes. Il y avait des choses qu'il était le seul étranger à savoir, et il leur arrivait souvent, à lui comme à elle, de lui demander conseil.

Ils étaient tous deux originaires du Périgord, près de Bergerac, nés dans des villages à peine distants l'un de l'autre de vingt kilomètres et, pourtant, c'est à Paris qu'ils s'étaient connus.

Félicien Mallard était magasinier aux Halles. Jeanne travaillait comme aide de cuisine dans un restaurant de la rue Coquillère. Chacun avait des économies et ils s'étaient mis à leur compte peu de temps après leur mariage.

Leur restaurant était modeste et c'était Jeanne qui faisait la cuisine, son mari servait au comptoir, une fille du pays qui s'occupait des clients aux six ou sept tables de la maison.

Dudon, à cette époque-là, tenait la comptabilité pour de petits commerçants, mais ne connaissait pas encore les Mallard. Ils firent appel à lui pour leurs livres quand, presque du jour au lendemain, à cause d'un pâté d'oie dont la recette venait de la grand-mère Mallard, des journalistes et des gens de théâtre avaient mis leur établissement à la mode.

Faute de pouvoir s'agrandir en largeur ou en profondeur, ils avaient d'abord racheté un étage auquel on accédait par un escalier étrange, puis un second, et ils avaient bientôt servi plus de deux cents repas par jour.

Dudon passait chez eux deux heures chaque soir, dans un cabinet de toilette du second étage, transformé en bureau, où on remisait aussi les balais. C'est là qu'un jour Mallard lui avait parlé de l'idée qu'un client lui avait donnée, celle de mettre le fameux pâté d'oie en terrine pour le vendre aux épiciers.

A présent, ils étaient riches. La gamine, que Dudon avait vue pousser entre les tables du restaurant, avait été élevée dans un couvent et était devenue une jeune fille. Les Mallard habitaient un appartement de huit pièces, boulevard Voltaire, et l'y avaient invité plusieurs fois. Quand leur fille était tombée malade, à seize ans, c'est lui qu'ils avaient consulté sur le choix d'un spécialiste. C'est lui aussi qui les avait accompagnés quand il avait fallu la transporter dans un sanatorium privé de Berck-sur-Mer.

Il savait tout d'eux : les placements qu'ils effectuaient, les tricheries pour le fisc, leur projet de bâtir en Dordogne sur un terrain qu'ils avaient déjà acheté et les rares aventures que Félicien Mallard s'offrait comme à regret.

Pourtant, le même mur que le premier jour subsistait entre eux et lui. On l'appelait M. Maurice. On prétendait volontiers qu'il était de la famille. On s'efforçait de lui parler à cœur ouvert. Et la conversation soudain tombait à plat, sans que ce fût la faute de personne ; on le regardait d'un air gêné, comme si on ne trouvait plus rien à lui dire.

Ils étaient malheureux. Leur argent les embarrassait plutôt que de les aider et Mme Mallard restait gauche dans ses fourrures, comme elle l'était dans son auto, pour laquelle il avait fallu prendre un chauffeur parce qu'ils avaient tous les deux peur de conduire.

Peut-être, eux aussi, se battaient-ils avec leurs péchés ?

Il ne se souvenait pas de les avoir vus aller à la messe. Ils ne parlaient jamais de religion, sinon avec leur fille. Mais ils avaient dû être élevés chrétiennement comme presque tout le monde à la campagne.

Tant que leurs affaires ne prenaient que peu à peu de l'ampleur, ils avaient vécu dans une sorte de griserie. Puis, soudain, alors qu'ils devenaient vraiment riches et pouvaient compter par millions, la maladie avait forcé Françoise à quitter le couvent.

Elle faisait de la tuberculose osseuse. On ne le lui disait pas. On prétendait qu'elle guérirait rapidement et qu'elle redeviendrait comme les autres. Elle ne le croyait pas. Tout le monde savait que ce n'était pas vrai, même les habitués du restaurant qui prenaient un air de compassion et se mettaient à parler bas entre eux quand Mme Mallard traversait la salle.

Ils étaient tristes, l'un comme l'autre, s'en voulaient et n'osaient pas se l'avouer. Sans doute voyaient-ils comme un châtiment dans la maladie de leur fille ?

Dudon, lui aussi, avait reniflé le péché, — non seulement les siens, mais ceux des autres, — et, lui aussi, pendant des années, avait attendu chaque jour la punition du ciel.

C'était pour la bonne mesure qu'il avait ajouté de petits péchés aux grands, mais des péchés inutiles.

Il n'y avait aucune nécessité de voler chaque semaine un ou deux mille francs à Mallard. Il gagnait assez d'argent. Il n'avait pas de besoins. Il aurait pu aller tous les vendredis rue Choron sans tripoter les écritures.

Peut-être, la première fois, ne l'avait-il fait que pour impressionner l'abbé Lecas ?

Non. Il aurait agi de même sans l'abbé, tout comme jadis il mentait à sa mère, exprès, sans nécessité, parce que c'était un des rares péchés qu'il avait alors à sa portée. Il y avait trop peu d'argent dans la maison pour qu'il pût voler, et il avait attendu d'avoir vingt-deux ans et d'être à Paris pour pénétrer dans une maison de tolérance, qui, aujourd'hui, n'existait plus. C'était tout là-haut, boulevard Barbès, une immense salle toujours pleine d'hommes, surtout des Arabes, et de femmes en chemise qui prononçaient les mots les plus orduriers du monde. La plupart du temps, il n'allait pas plus loin que cette salle-là et, nulle part ailleurs, depuis, le péché ne lui avait paru aussi épais, aussi palpable.

Rue Choron également, il se serait parfois volontiers arrêté au salon, sans en demander davantage, et il l'aurait peut-être fait s'il n'avait pas eu peur de Mme Germaine.

Il n'en parlerait pas à l'abbé Lecas, ni à l'abbé

Groult, ni à personne. Il n'avait plus besoin d'en parler. Il ne se sentait plus sale.

Voilà l'exacte vérité : il ne se sentait plus sale.

Il était tout nettoyé, dans un lit blanc, dans une chambre claire où son infirmière marchait à pas légers et où, sans doute, quand il irait mieux, on apporterait des fleurs.

Il pouvait passer son temps à fouiller les coins d'ombre, puisqu'il avait la certitude de retrouver la lumière quand il le voudrait.

Il avait presque pitié en pensant à Mallard, tel qu'il l'avait vu sur la chaise, son chapeau sur les genoux, encore en proie, lui, à ses cauchemars et à ses frayeurs.

Le destin l'avait délivré. Il avait envie de lui adresser un clin d'œil et de lui avouer à mi-voix :

— Au fond, j'ai toujours su que cela arriverait un jour. Merci quand même !

3

C'EST elle qui finit par céder, et il lui en fut reconnaissant. Le médecin roux, les deux dernières fois qu'il était venu, avait feint de ne pas s'apercevoir du changement, et Dudon était persuadé que c'était Anne-Marie qui le lui avait demandé ; il avait cru surprendre, entre eux, des signes d'intelligence.

Il restait couché exactement comme quand il avait la fièvre et elle, de son côté, allait et venait autour de lui, menait son train-train quotidien sans faire de différence avec le temps où il était réellement inconscient.

Il lui aurait été difficile de dire pourquoi il ne lui avait pas parlé tout de suite. Il devait en avoir la possibilité. Il se sentait lucide. Peut-être avait-il tenu à s'habituer d'abord à son nouvel entourage ?

C'était une gaminerie, au fond. C'était un jeu, comme les gamins à son école, jouaient à-qui-regardera-l'autre-le-plus-longtemps- dans-les-yeux - sans-rire.

Le plus amusant, c'est qu'elle continuait de lui donner ses soins deux fois par jour et qu'elle poussait, elle aussi, le jeu jusqu'au bout, le maniant comme elle l'aurait fait d'un bébé.

Elle était plus jeune que lui. Elle devait avoir trente ans à peine. Il ne s'attendait cependant pas à tant d'enfantillage de la part d'une personne habituée à soigner les malades.

C'est le matin que cela arriva. Il s'était réveillé en même temps qu'elle, très tôt, alors qu'on n'entendait encore aucun bruit dans le reste de la clinique. Il aimait la voir se lever, les cheveux dans la figure, le visage comme passé à la gomme, et surtout la voir s'étirer, debout, au pied de son lit de camp, dans sa longue chemise blanche à pois bleus.

Cette fois, il avait fermé les yeux trop tard et elle avait eu le temps de surprendre son regard. Elle n'en avait rien laissé paraître, était passée tout naturellement dans la salle de bains. Il n'avait jamais vécu avec personne, sauf avec sa mère, et il n'y avait pas de salle de bains dans leur logement de Saintes. Anne-Marie laissait la porte entrouverte afin de l'entendre s'il l'appelait et, de son côté, il entendait tous les bruits, jusqu'au frottement de la serviette sur sa peau quand elle s'essuyait, et parfois il apercevait de la chair rose dans un coin du miroir.

Il y avait un autre moment savoureux. Avant de quitter la chambre, elle posait ses vêtements de jour sur une chaise, près de la porte, et, ensuite, une fois levée, elle passait son bras nu par l'entrebâillement pour les prendre un à un : les bas, la culotte, la chemise, la combinaison, enfin la blouse blanche légèrement empesée. Malgré ses gros seins, elle ne portait pas de soutien-gorge.

L'air sentait le savon, l'eau de Cologne. Quand, une fois prête, elle venait se camper devant son lit pour le regarder, elle était fraîche comme si elle commençait la vie à neuf.

Elle le quittait encore un moment pour aller chercher une tasse de café et des croissants qu'on devait lui préparer quelque part, au bout du couloir, et elle s'installait à la petite table pour manger.

Il comprit, ce matin-là, à de menus riens, qu'elle ne garderait pas longtemps son sérieux. Chaque fois qu'elle tournait les yeux vers lui, il fermait les paupières trop tard et il avait, lui aussi, envie de sourire. Elle se donna le temps de terminer son repas, de reporter le plateau. Puis elle saisit le thermomètre, qu'elle agita avant de le lui glisser dans la bouche, et il n'avait aucune honte à être couché devant elle, le visage envahi de barbe, un tube de verre entre les lèvres.

Il était sûr qu'il existait entre eux une complicité tacite, mais il tenait à ce que ce fût elle qui commençât.

C'est en regardant le thermomètre qu'elle eut un premier sourire amusé ; elle lui dit, avec la moue de quelqu'un qui s'efforce de ne pas rire :

— Que penseriez-vous, ce matin, d'une tasse de café et d'un toast de confiture ?

Peut-être avait-il parlé pendant son délire, mais c'était la première fois qu'elle allait entendre sa vraie voix, et il avait encore une hésitation, une pudeur. D'abord, il sourit à son tour, pour la remercier. Puis il prononça, troublé de s'entendre :

— Je veux bien.

— Voulez-vous que je lève le store ?

Contre son attente, il n'y avait pas de soleil. Il pleuvait. Des gouttes d'eau glissaient sur les vitres et, dans la cour, se dressait un grand arbre dont les bourgeons n'avaient pas encore éclaté.

Il n'en fut pas déçu. Au contraire. S'il avait fait beau, elle aurait probablement ouvert la fenêtre et il y aurait eu moins d'intimité dans la chambre.

— Savez-vous, monsieur Dudon, que vous allez avoir une journée importante ?

Il fit oui de la tête, sans être sûr de comprendre exactement ce qu'elle voulait dire. En réalité, cela devait être la journée la plus importante et la plus merveilleuse de sa vie, sans que la pluie cessât de tomber, lavant les vitres, noircissant le tronc et les grosses branches de l'arbre dans la cour.

Pour la première fois, Anne-Marie changea sa position, en tournant la manivelle qui soulevait une partie du sommier, de sorte qu'il se trouva à peu près assis. Il grimaça, parce qu'il ressentait des douleurs à l'omoplate, à la hanche, un peu partout, il questionna du regard, sans crainte, simplement parce qu'il était surpris.

— C'est vrai que vous ne le savez pas encore. Vous avez des ecchymoses sur tout le corps. Cela fait très mal ?

— Pas très.

— Je peux vous laisser comme ça ?

Le plateau qu'elle lui apporta, et qui se posait sur le lit comme une petite table sans peser sur ses jambes, était couvert d'un napperon brodé. La cafetière, très lourde, était en argent, la tasse et les assiettes en fine porcelaine.

Anne-Marie le guettait.

— Vous savez où vous êtes ?

— Non. Ce n'est pas un hôpital ordinaire, n'est-ce pas ?

Elle rit.

— Ce n'est pas un hôpital ordinaire. Vous êtes à Passy, dans une des meilleures cliniques privées de France. Il n'y a que vingt lits et les médecins les plus célèbres viennent presque chaque jour.

Elle s'était assise à son chevet, contente de bavarder, pas fâchée de l'étonner.

— C'est M. Lacroix-Gibet qui vous a envoyé ici et qui a insisté pour qu'on vous y admette.

— Qui est-ce ?

— Vous ne le connaissez pas ? Vous n'avez jamais lu son nom dans les journaux ? C'est un des membres les plus influents du conseil municipal. Il a été tellement bouleversé de vous avoir renversé ! Il téléphone deux fois par jour pour prendre de vos nouvelles. C'est grâce à lui que le docteur Jourdan est arrivé presque en même temps que vous pour vous opérer.

Elle lui disait ces choses comme on gâte un enfant, ravie de le voir manger, s'émerveiller en silence de la cafetière et du luxe du service.

— C'est bon ?

— C'est très bon.

— J'aurais pu vous en donner hier, mais je n'ai pas cru devoir vous réveiller.

Ils continuaient le jeu, en somme. On entendait le bruit régulier d'un aspirateur électrique dans les couloirs et Dudon commençait à distinguer le soin lointain des rares autos qui passaient dans la rue.

— Quand M. Lacroix-Gibet apprendra que vous êtes mieux, il voudra venir vous voir. Il a été réellement atterré. C'est un homme épatant.

— Vous le connaissez bien ? demanda-t-il avec une petite pointe de jalousie.

— Je n'appartiens pas à la clinique. Je suis garde privée. J'ai vécu chez eux pendant plus d'un mois quand Mme Lacroix-Gibet a fait une pleurésie. L'été dernier, M. Philippe a eu un accident d'auto sur la route de Deauville et m'a fait venir ici pour le soigner. Il occupait la chambre voisine.

Cela lui fit quelque chose aussi de l'entendre dire M. Philippe, mais il ne bouda pas, feignit de ne pas le remarquer.

— Il était grièvement blessé ?

— Beaucoup moins sérieusement que vous. Une jambe cassée et quelques contusions. Mais il est très douillet.

— Il a souvent des accidents ?

Elle rit. Elle n'avait pas peur de lui. Elle ne le regardait pas comme s'il était différent des autres.

— Est-ce que cela vous ferait plaisir qu'on vous rase toute cette barbe ?

— C'est possible ?

— Un coiffeur passe chaque matin à neuf heures. Il suffit que je vous inscrive sur la liste.

Il posa immédiatement la seule question qui l'effrayât encore :

— Vous croyez que j'en ai pour longtemps à rester ici ?

— Vous êtes pressé de partir ?

Elle savait que non ; c'était toujours le jeu.

— On vous gardera en tout cas plusieurs semaines.

Il ne lui demanda pas si elle resterait tout le temps avec lui, car il en était sûr.

— Maintenant, je vais faire votre toilette. Ensuite, pendant que vous vous reposerez, j'appellerai la femme de ménage.

Il savait que ce n'était pas Anne-Marie qui s'occupait du nettoyage, mais une femme courtaude, aux grosses jambes, vêtue d'un uniforme à rayures bleues, qui ne regardait jamais dans sa direction.

Il sommeilla, sans perdre conscience de ce qui se passait autour de lui et, quand le coiffeur arriva avec une petite mallette en cuir noir, on redressa à nouveau la partie supérieure de son lit.

— Cela vous amuserait de vous voir avant qu'on vous rase ?

Jamais il ne s'était vu avec une barbe et il sourit à son image. Peut-être si cela avait encore été à la mode, l'aurait-il gardée, car il se trouvait mieux ainsi. Il ressemblait un peu à ces explorateurs du pôle Nord qu'on voit dans les films documentaires, et ses yeux paraissaient plus vifs, ses dents plus blanches, sa bouche plus ferme. Il n'avait presque pas de pansements, juste une large bande de tissu blanc, comme un turban, autour de la tête.

— Vous auriez aimé vous faire photographier ainsi ? Si j'avais pensé, j'aurais apporté mon appareil.

Il devait aller beaucoup mieux, car le docteur, qui passa dans le couloir, l'air effaré, ne fit que pousser la porte et jeter un coup d'œil dans la chambre. Il n'était pas en blouse blanche, portait un veston de fine laine grise et avait son chapeau sur la tête, une trousse à la main, aussi usée que celle du coiffeur.

Quand Dudon promena la main sur ses joues, elles étaient si lisses qu'il ne les reconnaissait pas.

— Je parie que vous vous sentez tout rajeuni !

C'était plus vrai qu'elle le pensait puisque, en réalité, il n'avait plus d'âge. Sa hâte était que ces allées et venues du matin soient finies, qu'on ferme la porte et qu'ils restent tous les deux tranquilles dans la chambre, avec seulement, au-delà des fenêtres, le doux bruissement de la pluie.

— J'ai téléphoné à M. Lacroix-Gibet, qui sera ici vers onze heures. Je suppose que vous avez entendu le nom de Gibet ?

— Les vins Gibet ?

Il en existait des dépôts, à la façade caractéristique, peinte en vert sombre, dans tous les quartiers de Paris, avec les mots « Vins Gibet » en énormes lettres jaunes ornées de fioritures. Il y en avait même un rue de Turbigo, en face des bureaux de M. Mallard, et Mlle Tardivon pouvait le voir de ses fenêtres.

— Mme Lacroix-Gibet est la fille de Frédéric Gibet, le fondateur de la firme. Il est mort il y a quelques années en ne laissant qu'un fils et une fille. M. Philippe s'occupe de l'affaire avec son beau-frère. Ils ont leurs bureaux avenue de l'Opéra.

Il les avait vus aussi en passant. Le soir, le nom s'étalait en lettres lumineuses le long du balcon. Dans les bars où il lui arrivait de boire un quart Vichy, il y avait toujours une bouteille de quinquina Gibet. C'était un peu démodé, même le modèle de la bouteille, mais il existait encore une fidèle clientèle dans toute la France, et jusque dans certains pays étrangers.

— C'est un des hommes les plus occupés que j'aie jamais vus. Quand il était à la clinique, il y avait toujours plusieurs personnes à attendre dans l'antichambre, et on avait dû installer un téléphone supplémentaire à la tête de son lit. Son secrétaire passait ses journées dans la chambre et, matin et soir, sa sténographe venait prendre sa dictée.

Il n'était pas émerveillé, pas même impressionné. Il trouvait cela naturel. On aurait dit qu'il s'était attendu à être soigné dans une clinique de grand luxe, à être opéré par un chirurgien très cher, à avoir une garde privée et à jouir de la sollicitude d'un des personnages les plus en vue de Paris.

— Vous êtes un curieux homme, monsieur Dudon.

Tout de suite, elle avait ajouté :

— Si cela ne vous fait rien, je vous appellerai M. Maurice. Vous n'avez qu'à m'appeler Anne-Marie.

— Je connais déjà votre nom.

Il s'était coupé. Il avouait ainsi qu'il était éveillé et conscient lors des dernières visites du médecin, qui appelait toujours la garde par son prénom.

— C'est vrai que vous n'avez pas de famille à Paris ?

— Je n'ai plus que ma mère qui vit à Saintes.

— Je ne pense pas qu'on l'ait avertie. Voulez-vous que je lui écrive de votre part ?

— Ce n'est pas la peine.

— Vous ne tenez pas à ce qu'elle sache que vous avez eu un accident ? Vous avez peur de l'inquiéter ? C'est ça ?

Il répondit franchement :

— Non.

Alors elle le regarda avec attention et faillit éclater de rire.

— Il n'y a personne d'autre que vous aimeriez voir ?

— Non.

— Pas de petite amie ?

— Non.

— Vous vivez seul ?

— Oui.

— Depuis longtemps ?

— Depuis toujours. Depuis que j'ai quitté ma mère, à dix-neuf ans.

Ils parlaient, l'un comme l'autre, pour s'amuser. Ce n'étaient pas les mots qui avaient de l'importance, mais la façon de les prononcer, et aussi les regards qu'ils échangeaient, comme deux enfants qui nouent connaissance.

— Votre patron, le grand type à moustaches tombantes, dont j'oublie toujours le nom...

— M. Mallard.

— Oui. Il paraît tenir énormément à vous. Il est venu tous les jours et je lui ai conseillé de téléphoner pour prendre de vos nouvelles, car, si j'ai bien compris, il habite à l'autre bout de Paris.

— Boulevard Voltaire, oui.

— Ce n'est pas gai, par-là.

— Non, ce n'est pas gai. Rue de Turbigo non plus.

— Qu'est-ce qu'il y a, rue de Turbigo ?

— Les bureaux.

— Malgré ce que je lui ai dit, il vient chaque matin, et hier il a amené sa femme.

— Elle non plus n'est pas gaie.

Elle avait l'air de le trouver drôle, semblait parfois sur le point de pouffer.

— Je ne les ai pas laissé entrer dans la chambre.

Il faillit lui demander pourquoi, mais c'était inutile, car elle avait déjà compris la question dans son regard.

— J'ai pensé que vous n'aviez pas envie de les voir. Est-ce que j'ai eu tort ?

— Vous avez bien fait.

S'ils étaient entrés, il aurait peut-être été amené à leur parler et sa première conversation n'aurait pas été avec Anne-Marie.

— J'ai eu peur qu'ils vous tracassent avec des questions d'affaires.

— Je ne suis plus leur employé.

— Vous ne retournerez pas chez eux ?

— Non.

Il avait l'impression de n'exprimer que des idées naturelles. Sans doute n'avait-il jamais été aussi naturel de sa vie, et pourtant elle le regardait avec une sorte d'émerveillement.

— Vous n'êtes pas fatigué ?

— Non.

— Vous n'avez pas mal à la tête ?

— Je ne sens pas que j'ai une tête.

— Il est onze heures moins cinq et M. Philippe va arriver, car, malgré toutes ses affaires, c'est un homme toujours ponctuel. Je suppose que, lors de l'accident, vous n'avez pas eu le temps de le voir ?

— Si. C'est un grand, un peu mou, avec une fine moustache brune d'acteur de cinéma.

— Si vous lui dites qu'il est mou, il ne sera pas content.

— Ce n'est pas exact ?

— C'est un brave homme. Ses adversaires politiques, eux, ne le trouvent pas mou. Ils en ont très peur. Avant d'épouser Mlle Gibet, il était inscrit au Barreau.

Elle écouta, eut l'air de reconnaître un pas dans le couloir et alla ouvrir la porte avec un empressement qu'il jugea exagéré. Lacroix-Gibet était là, qui semblait remplir tout le cadre, en élégant veston bleu, un chapeau gris perle à la main.

— Bonjour, ma petite Anne-Marie. Merci de m'avoir téléphoné.

Il était merveilleusement habillé, sans une goutte d'eau sur les épaules, et sa grosse voiture devait l'attendre au bas du perron.

Tout de suite, un autre jeu commença, à la fois compliqué et plus facile qu'avec Anne-Marie.

Dudon, dans son lit, était calme. Son rôle consistait à attendre, cependant que le visiteur posait son chapeau sur la table, tirait un mouchoir de sa poche et se tournait vers le lit. Il toussa une fois ou deux, comme il devait le faire avant de prendre la parole aux séances du conseil municipal, pour s'éclaircir la voix.

— Inutile de vous dire, monsieur Dudon, que je suis navré de ce qui est arrivé.

Il lança à l'infirmière un regard qui la priait de les laisser seuls et alla lui-même refermer la porte derrière elle. Il ne s'asseyait pas, paraissait trop grand pour la chambre et, machinalement, se mettait à jouer avec une cuiller qu'il avait prise sur la table de nuit.

— Cela peut paraître banal, parce que c'est ce qu'on dit toujours, je suppose, en pareille circonstance. Je vous affirme que j'ai été effrayé et que je n'ai respiré un peu plus à l'aise que quand mon ami Jourdan, en qui j'ai toute confiance, m'a promis au téléphone qu'il vous tirerait d'affaire.

Il reprit après un silence, d'une voix plus légère, amicale :

— J'espère que cette brave Anne-Marie vous soigne bien ? J'ai immédiatement pensé à elle, car j'avais eu l'occasion d'apprécier ses services. Je ne suis pas à même de discuter ses qualités professionnelles, mais, du simple point de vue du patient, elle possède la vertu qui est à mon sens la plus précieuse : elle est gaie, naturellement affectueuse.

Etait-ce une illusion ? N'y avait-il pas une légère insistance dans les derniers mots ?

— De toute façon, j'ai donné des instructions pour que tous vos désirs soient satisfaits, ce qui n'est que trop normal.

— Je vous remercie.

C'étaient ses premiers mots et Lacroix-Gibet le regarda avec curiosité, surpris par le son de sa voix. Dudon, pourtant, n'y avait mis aucune ironie. Il pensait plus que jamais ce qu'il avait dit à Anne-Marie : que cet homme-là était un mou.

Pour le moment, l'ancien avocat ne savait comment faire pour en arriver au but réel de sa visite.

— Je vous avoue que je me demande encore comment ce stupide accident a pu se produire. Je conduis depuis vingt-deux ans sans un accroc, sauf, l'an dernier, sur la route de Deauville, quand j'ai failli être tué par la faute d'un poids lourd qui roulait au milieu de la route sans feu arrière.

Espérait-il que Dudon allait le mettre à l'aise ?

— Remarquez que je n'essaie pas de me soustraire à ma responsabilité financière. La compagnie d'assurances s'en occupe et je l'ai priée d'agir au mieux de vos intérêts. Ce n'est pas encore le moment d'agiter ces questions, mais j'espère que vous me comprenez. C'est en homme que je vous parle. Vous étiez probablement le seul passant dans la rue Choron au moment de l'accident.

— J'étais seul, oui. Mais il y avait une femme d'un certain âge dans la boutique de journaux.

— C'est exact. Je suis émerveillé que vous vous en souveniez, que vous ayez enregistré ce détail. J'imaginais que la soudaineté de l'événement, la brutalité du choc...

Dudon ne comprenait pas encore, mais il était sûr qu'il comprendrait le moment venu, et il gardait un vague sourire encourageant épars sur son visage.

— De toute façon, je me charge de tout, je le répète. J'ai pu savoir qui vous êtes et j'ai appris ainsi votre profession de comptable. J'ai entendu parler de M. Mallard.

Il toussa, saisit une chaise par le dossier, la souleva pour la poser un peu plus loin et finit par s'y asseoir et par croiser les jambes, découvrant ses chaussettes de soie.

— Je ne vous fatigue pas ?

— Je me sens tout à fait bien.

— Je ne devrais pas vous parler de ces questions aujourd'hui, mais j'ai pensé qu'en le faisant je vous apporte peut-être un certain réconfort. J'ai reçu sur vous, monsieur Dudon, les renseignements les meilleurs. M. Mallard est un brave homme à qui vous êtes évidemment précieux. Je ne pense pas, pourtant, je vous le dis entre nous, que vous soyez à votre place chez lui et j'ajoute à tout hasard, pour que vous y pensiez, que si, plus tard, une fois rétabli, vous envisagez d'entrer dans la maison Gibet, mon beau-frère et moi en serons enchantés.

De son mouchoir de batiste, il s'essuya les mains qu'il devait avoir moites. Il se leva.

— Je reviendrai vous voir d'ici quelques jours. En attendant, si vous avez un désir quelconque, soyez assez gentil pour en faire part à Anne-Marie, qui fera le nécessaire.

Il saisit son chapeau, mais c'était une fausse sortie ; il le remit à sa place, en homme qui se souvient d'un détail oublié, se tourna vers le lit, regarda cette fois Dudon bien en face.

Alors, en s'épongeant le front :

— Je n'arrive pas à chasser de mon esprit l'image

de cet accident. J'avais assisté à une réunion politique place d'Anvers et je redescendais vers les grands boulevards en évitant les rues encombrées. J'avais mis mes lumières en code et j'étais seul dans l'auto, sans rien pour distraire mon attention...

Tout se joua en un quart de seconde. Il avait dit, avec une fausse désinvolture, en glissant sur les syllabes :

... *j'étais seul dans l'auto...*

Or ce n'était pas vrai. S'il n'avait pas mis Dudon en garde, celui-ci ne se serait peut-être aperçu de rien. Mais, depuis que Lacroix-Gibet était entré dans la chambre, il guettait ses mots un à un et ceux-là, justement parce que débités trop vite, trop légèrement, firent naître une image dans son esprit.

Il n'était pas seul dans son auto. A côté de lui, Dudon en était sûr, très près de lui, se trouvait une femme qui portait un chapeau clair, probablement blanc, et que Dudon n'avait pas revue parmi les gens qui piétinaient autour de lui, tandis qu'il était étendu par terre.

Il ne protesta pas, ne dit rien. Il eut seulement un sourire à la fois amusé et complice. Ce sourire n'échappa pas au conseiller municipal, qui garda un moment de silence.

Lorsqu'il ouvrit à nouveau la bouche, ce fut pour prononcer :

— Vous voyez ce que je veux dire ?

— Je vois.

— Je tenais à ce que vous sachiez que...

Cela n'avait pas d'importance. Les mots, à présent, n'étaient plus là que pour meubler, et Lacroix-Gibet pouvait aller reprendre son chapeau, s'approcher du lit, tendre une main cordiale. Il était visiblement soulagé.

— Je crois que nous serons amis, monsieur Dudon. Je m'en vais, car un conseil d'administration m'attend dans quelques minutes. Je vous envoie Anne-Marie. N'oubliez pas ce que je vous ai dit. Tout ce que vous désirez...

Ils se sourirent.

-:-

Il était cinq heures de l'après-midi. Dudon avait dormi longuement après son repas, qu'on lui avait servi, comme le matin, dans de l'argenterie, avec des cloches en argent pour empêcher les mets de se refroidir. Anne-Marie lui avait dit :

— Au fond, je me demande si vous n'avez pas eu plutôt de la chance qu'autre chose.

Il ne l'avait pas contredite. Elle s'était penchée pour arranger son oreiller et sa forte poitrine lui avait frôlé le visage.

Elle avait fait la sieste aussi, dans son fauteuil. Ils étaient dans la chambre comme un ménage et qui paressait le dimanche à cause du mauvais temps.

M. Mallard n'était pas venu le voir. C'était Mme Mallard qui, au milieu de l'après-midi, s'était fait conduire à la clinique par Arsène, son chauffeur, et qui s'était tout de suite mouchée en regardant Dudon.

— Nous avons eu si peur ! soupira-t-elle.

Elle s'était assise et, à sa façon de s'installer près du lit, on sentait qu'elle avait l'habitude des chambres de malade.

— Si vous saviez, monsieur Maurice, comme mon mari et moi nous sommes faits du mauvais sang ! Pendant deux jours il n'en a pas mangé et, si je ne l'avais pas raisonné, il aurait été ici du matin au soir.

D'un coup d'œil, elle eut l'air de demander à Anne-Marie la permission de continuer.

— D'abord, les nouvelles ont été rassurantes et le médecin affirmait que vous aviez toutes les chances de vous en tirer. C'est à ce moment-là que Félicien est venu vous voir, et il était ici quand les complications sont survenues et que tout a été remis en question. On s'est demandé si vous ne resteriez pas paralysé pour le reste de vos jours. Vous ne me croirez peut-être pas, mais, aujourd'hui, encore, j'ai eu toutes les peines du monde à envoyer mon mari à son déjeuner de la Villette.

— Nous sommes vendredi ?

Cela lui fit plaisir, sans raison précise.

— Si j'ai tenu à ce qu'il y allât, c'est qu'il a besoin de se changer les idées. Comme il fallait s'y attendre, tous les tracas nous sont arrivés à la fois.

Il comprit, à sa grimace, qu'elle se retenait de pleurer, mais il continua à la regarder curieusement, sans émotion.

— Figurez-vous que Françoise...

Elle hésita à poursuivre, à cause de la présence d'Anne-Marie. Puis elle dut se dire qu'une infirmière, comme un médecin, peut tout entendre :

— Françoise est à la maison ! lâcha-t-elle enfin en pressant son mouchoir sur son visage. Elle est arrivée avant-hier soir, toute seule, elle qui n'avait jamais voyagé qu'avec nous. Elle a sonné à la porte de l'appartement au moment où nous nous y attendions le moins : nous quittions la table et, quand je l'ai vue debout sur le palier, sa valise à la main, comme une étrangère, j'ai cru que j'allais m'évanouir.

» Elle est tombée dans mes bras en pleurant. Nous avons pleuré ensemble toute la soirée. Son père était là et elle n'a rien voulu dire devant lui. Elle se contentait de répéter :

» — Si tu savais, maman ! C'est affreux !...

» Je l'ai couchée dans son lit et lui ai préparé une tisane, car elle tremblait de tous ses membres. Je ne devrais probablement pas vous fatiguer avec nos soucis quand vous êtes malade vous-même, mais nous n'avons jamais manqué de vous demander conseil.

» Nous ne savons plus que faire, monsieur Maurice ! »

Est-ce que Dudon et Anne-Marie avaient réellement échangé un sourire ? Mme Mallard avait pris de l'embonpoint depuis qu'elle ne faisait plus elle-même la cuisine du restaurant, mais elle était restée drue comme une paysanne et, dans sa robe de soie noire, dans son manteau de vison qu'elle portait gauchement, elle faisait presque penser à un homme travesti. Même ses cheveux bruns, qu'elle n'avait jamais su coiffer, donnaient l'impression d'une perruque !

— Nous avions tellement d'espoir et de confiance en la mettant à Berck ! Tout le monde, vous vous en souvenez, nous avait donné les meilleurs renseignements sur ce sanatorium privé. Les spécialistes étaient d'accord pour qu'elle y reste au moins deux ans en traitement.

» Or il n'y a pas six mois qu'elle y est. Je suis allée la voir à peu près chaque semaine et elle ne m'a jamais rien dit. Je trouvais sa gaieté un peu forcée, mais c'était la même chose au couvent, et je pensais qu'elle avait honte de moi.

» Mais si ! Je sais ce que je dis ! Je ne lui en aurais pas voulu. Au couvent, ses compagnes étaient d'un autre milieu et je sais maintenant qu'on se moquait d'elle et de nous.

» Elle me l'a avoué hier, avec le reste. Elle en avait trop gros sur le cœur et ne pouvait plus le garder pour elle.

» Je ne vous fatigue pas, monsieur Maurice ?

— Mais non.

— Excusez-moi, mademoiselle, de déballer ainsi mes petites affaires, mais M. Maurice est notre seul ami et nous le considérons comme de la famille.

Vous savez ce qu'est la vie et on peut parler devant vous. Mais, jusqu'à avant-hier, j'aurais juré que ces choses-là étaient impossibles et, de toute autre que ma fille, je ne les aurais pas crues.

» Françoise n'a jamais menti, surtout à sa mère. Il paraît que là-bas, dans ce sana, ils mènent une existence inimaginable. On penserait que des malades, pour la plupart dans le plâtre, dont certains sont incapables de marcher, ne songeraient pas à s'amuser d'une façon pareille.

» Or, c'est tout le contraire. Ils n'ont que cela en tête, et vous comprenez à quoi je fais allusion. L'établissement est mixte et ils se rendent visite les uns les autres, non seulement le jour, mais la nuit, en actionnant au besoin la petite voiture dans laquelle ils sont allongés.

» Françoise, elle non plus, au début, ne voulait pas le croire. Selon la règle, elle partageait sa chambre avec une autre malade, une jeune fille d'une des meilleures familles de Dijon, à qui je portais des chocolats chaque fois que j'allais là-bas. Après quelques jours, cette personne — je ne trouve pas d'autre mot — n'a pas hésité à recevoir des hommes devant ma fille. »

C'était à Anne-Marie, maintenant, plutôt qu'à Dudon, qu'elle s'adressait, comme si elle considérait qu'une femme était plus apte à partager son indignation.

— Il m'a fallu des heures pour tout savoir. Et encore je ne suis pas sûre de connaître le pire. Françoise craignait que je porte plainte ou que son père aille faire un scandale. J'ai dû lui promettre que nous nous tairions, mais j'ai eu du mal, ensuite, à calmer mon mari qui voulait prendre le premier train.

» Cela se passait devant elle, mademoiselle ! Concevez-vous une telle impudence ? Les premiers jours, au moins, ils éteignaient la lumière, mais, après, ils ne se sont plus gênés. Ils le faisaient même exprès. Et ce n'était pas toujours le même garçon.

» Il en est ainsi, paraît-il, dans la plupart des chambres. Les infirmières le savent — je vous demande pardon — et en sourient comme si c'était tout naturel.

» Malgré mon insistance, Françoise n'a pas voulu me confier ce qui s'est passé à la fin. Elle m'a seulement dit que la vie, pour elle, était devenue intenable. J'aime presque mieux, pour ma tranquillité d'esprit, ne pas savoir.

» Toujours est-il que la pauvre petite a fait sa valise et qu'elle est partie sans rien dire, toute seule. Elle ne les a pas avertis, par crainte qu'ils essayent de la retenir, et elle est passée par la petite porte du jardin.

» Elle ne veut plus entendre parler d'aucun sanatorium, et pourtant le professeur que nous avons vu ce matin prétend qu'elle ne peut pas rester à Paris et qu'elle a besoin de soins constants.

» Vous voyez la situation, monsieur Maurice ? Vous connaissez ma fille. Vous l'avez vue toute petite. Vous savez qu'on peut la croire, que ce n'est pas une enfant qui fait des drames pour rien... »

Mme Mallard était partie en se tamponnant les yeux et en demandant encore pardon d'avoir tant parlé de ses propres tracas. A la porte, elle avait adressé un signe à Anne-Marie, qui l'avait suivie dans le couloir, où elles avaient chuchoté un moment.

Quand elle était rentrée, Anne-Marie tenait quelque chose dans sa main fermée. Il ne s'était pas gêné pour lui demander :

— Qu'est-ce que c'est ?

— Vous ne devinez pas ?

Pour montrer qu'il avait compris, il dit :

— Combien ?

Elle ouvrit la main, laissant tomber sur la table un billet froissé de cinq mille francs.

— Je lui aurais fait de la peine en refusant. Elle se serait imaginé qu'elle m'avait vexée. Elle ne savait comment s'y prendre, me recommandait de bien vous soigner, de ne pas vous laisser seul avec vos idées noires et, pendant tout ce temps-là, elle tripotait dans son sac. Quand elle m'a serré la main, j'ai senti le billet.

Elle ajouta :

— Pauvre femme !

Elle disait cela gaiement. Elle ne la plaignait pas vraiment. Dudon non plus. Il ne plaignait plus personne.

-:-

Le fait qu'on était vendredi n'y était pour rien, et ce qui arriva fut comme l'achèvement naturel d'une heureuse journée.

Il avait dîné, goûtant le même enchantement devant le plateau luxueusement garni et, un peu plus tard, il y avait eu des allées et venues précipitées dans le couloir. Anne-Marie, qui finissait de manger à son tour, avait froncé les sourcils et avait attendu quelques instants avant d'aller voir.

— Qu'est-ce que c'est ? lui avait-il demandé à son retour.

— Rien. Un malade.

— Mort ?

Elle avait haussé les épaules.

— Je ne devrais pas vous le dire, mais vous avez deviné. Si cela peut vous rassurer...

— Je n'ai pas besoin d'être rassuré.

— Tant mieux ! C'est un homme de soixante-douze ans, qui est ici depuis huit mois avec une maladie incurable. Il y a une semaine qu'il vit sous une tente à oxygène. Sa famille ne va pas tarder à accourir.

Cela ne lui faisait aucun effet d'apprendre qu'il y avait un mort, jeune ou vieux, deux chambres plus loin.

— Cette Françoise, dont on nous a tant parlé tout à l'heure, est jolie ?

— Non.

— Laide ?

— Plutôt laide.

— Elle s'en rend compte ?

— Sûrement.

Ce fut tout sur ce sujet-là. Elle ne parla pas de la clinique de Berck-sur-Mer, se mit à ranger, comme tous les soirs. Avant de s'asseoir dans son fauteuil, elle proposa :

— Vous ne voulez pas que je vous fasse la lecture à voix haute ? Dans un jour ou deux, vous pourrez commencer à lire, mais il ne faut pas essayer aujourd'hui, car vous avez eu une journée fatigante.

— Je n'en ai pas envie.

Maintenant qu'il était revenu dans la vie, elle avait scrupule à se plonger dans sa lecture devant lui.

— Vous pouvez lire, insista-t-il.

— Vous n'avez pas envie de dormir ?

— Pas tout de suite.

Il était à peine huit heures. Il préférait rester immobile dans son lit, à regarder la chambre qu'éclairait cette lumière douce qu'il avait longtemps appelée sa bouée.

Elle lut, la tête penchée, le souffle régulier, et, de temps en temps, elle tournait les yeux vers lui pour lui adresser un sourire.

C'était nouveau pour lui, envoûtant. Il savourait même le froissement des pages qu'elle tournait à intervalles réguliers, et le silence était tel qu'il entendait le tic-tac de la montre-bracelet qu'elle avait posée devant elle et qu'elle consultait parfois.

— Maintenant, il est l'heure de prendre votre médicament et de vous préparer pour la nuit.

Il ne protesta pas, la regarda s'approcher avec des yeux pleins de confiance et de contentement. Chaque soir, elle lui passait le visage et les mains à l'eau fraîche, changeait sa veste de pyjama et, pour atténuer les courbatures, lui frictionnait les reins à l'eau de Cologne.

C'était un de ses moments préférés, mais, pour la première fois aujourd'hui, cela avait lieu alors qu'il était officiellement conscient.

Elle ne s'en montrait pas gênée, non plus que quand en se penchant sur lui elle frôlait son visage ou ses mains de sa lourde poitrine.

Pourquoi étaient-ils si gais ce soir-là, d'une gaieté qui se marquait à peine à la surface, mais qui donnait à leurs yeux un pétillement spécial ?

— Vous êtes un drôle de garçon !

Elle avait choisi le mot garçon plutôt que le mot homme, et il lui en savait gré.

— Vous, vous êtes une bonne fille.

— Vous croyez ?

— J'en suis sûr.

Ils étaient très près l'un de l'autre à cet instant-là. Anne-Marie, avant d'aller se coucher, n'avait plus qu'à rabattre sur lui la couverture.

Il ne fit aucun geste, ne lui demanda rien. Tout simplement, il la regardait avec des yeux heureux où dansait une curieuse petite flamme.

Alors, elle releva d'une main la couverture jusqu'à son cou, cependant que l'autre main restait sous les draps, tiède et vivante, un peu moite, et, pour la première fois de sa vie, tout le temps que cela dura, il continua à la regarder sans honte, en souriant.

4

ILS faisaient connaissance à petits coups, sans hâte, sans insister, autant par des regards que par des paroles, et cela formait une sorte de contrepoint enjoué sur la routine de leurs journées.

Le premier soir — car, dans l'esprit de Dudon, cela s'appelait déjà le premier soir — il avait eu un mot qui l'avait mis en joie. Elle venait de se redresser avec un curieux sourire tandis qu'il fermait un instant les paupières. Ensuite, il l'avait regardée, et plus tard, elle devait lui en reparler, imiter sa moue enfantine où il y avait à la fois de la reconnaissance et la gêne de quelqu'un qui vient de se montrer égoïste.

Il avait murmuré :

— Et vous ?

— Moi ?

Elle avait compris, bien sûr, avait hésité une seconde.

— J'ai eu mon tour aussi.

— Quand ?

— Ce matin.

— Qui ?

— Le docteur.

L'habitude allait leur rester, lorsqu'ils touchaient à certains sujets, de ces questions brèves, de ces réponses schématiques qui leur suffisaient, dont ils amplifiaient mentalement le sens, et parfois ils n'avaient pas besoin de parler du tout, une mimique, un coup d'œil suffisaient.

Le mot docteur l'avait fait tiquer.

— Le docteur Jourdan ?

— Pourquoi pas ?

Cela le déroutait. Il revoyait le visage du médecin roux penché sur lui, sa grosse peau granuleuse d'orange, ses sourcils touffus, ses lunettes à verres épais, et il avait de la peine à faire cadrer cette image avec ce qu'Anne-Marie venait de lui avouer si tranquillement. En outre, ce matin-là, le docteur n'avait fait qu'entrouvrir la porte de sa chambre et était parti en coup de vent, le chapeau sur la tête.

— Il n'est pas resté, objecta-t-il.

— Il ne faut pas longtemps.

— Où ?

— Dans le bureau réservé aux médecins, au fond du couloir.

— C'est pour vous appeler qu'il a ouvert la porte ?

— Oui.

Il fut longtemps à s'endormir en savourant sa découverte. Car il n'était pas jaloux. Et de savoir ça sur le chirurgien l'enchantait, lui rendait la vie encore plus légère. Elle s'était déshabillée devant lui, alors que les autres fois elle passait dans la salle de bains, et il l'avait regardée sans fièvre, sans arrière-pensée, avec un plaisir subtil, une sensation aussi agréable et douce par tout le corps que celle que produit un bain tiède.

Il la revoyait en particulier avec sa petite culotte

blanche que sa chair remplissait, et c'est dans cette tenue qu'elle s'était coiffée devant le miroir avant de passer sa chemise de nuit à pois bleus.

— Bonne nuit.

Depuis sa mère, personne ne lui avait jamais souhaité une bonne nuit. Sa mère, souvent, alors qu'il était déjà dans un demi-sommeil, trouvait un reproche à lui adresser au sujet de ce qu'il avait fait pendant la journée, ou des recommandations pour le lendemain.

— Bonne nuit, prononça-t-il.

Dix minutes plus tard, il répéta pour le plaisir, à mi-voix, afin de ne pas la réveiller si elle dormait déjà :

— Bonne nuit.

Il se sentait encore gauche, mais il avait confiance. De son lit, il passait des heures à explorer son nouvel univers, sans suivre une piste définie, s'intéressant à tout, aux bruits de la clinique et aux questions d'Anne-Marie. Par exemple, un détail ridicule l'émerveillait. L'ascenseur était mitoyen à sa chambre et il en guettait le fonctionnement. L'oreille tendue, il surprenait un léger cliquetis au rez-de-chaussée, celui de la porte qui se refermait. Ensuite, il n'y avait aucun bruit, rien qu'une sorte de succion, jusqu'à ce que la porte de l'étage, à son tour, cliquetât.

— Je n'ai jamais vu d'ascenseur à ce point silencieux, même dans les grands magasins.

— Les clients de la clinique sont des gens très difficiles.

Elle ne le traitait pas en enfant, n'était ni condescendante, ni protectrice. Ses réactions l'intéressaient vraiment, comme s'il eût été un phénomène.

— Dites-moi, monsieur Maurice...

— Oui...

— Vous n'avez jamais vécu avec une femme, n'est-ce pas ?

— Jamais. Sauf avec ma mère.

— Il ne vous est pas arrivé de dormir avec quelqu'un ?

— Non.

— Pourquoi ?

Il était content qu'elle l'interrogeât, sachant que ce n'était pas seulement par curiosité.

— Je ne sais pas. L'idée ne m'en est pas venue. Ni l'occasion.

— Vous n'avez pas eu de maîtresse ?

— Non.

— J'en étais à peu près sûre. Peut-être n'avez-vous jamais embrassé une femme ?

— C'est vrai.

Elle lui parlait en faisant quelque chose, de ces mille riens qui remplissent les journées, ce qui mettait des silences entre les bouts de phrase.

— Comment vous y preniez-vous ?

— Comme vous pensez.

— Vous les choisissez sur le trottoir ?

— Même pas.

— Dans des maisons ?

— Oui.

— Depuis que les maisons sont interdites, ce n'est pas trop difficile ?

— J'en connais une.

— Toujours la même ?

— Oui.

Il ajouta, conscient de tout ce qu'il révélait de la sorte :

— Rue Choron.

— L'accident est arrivé avant ou après ?

— Après.

Cela la fit rire. Tout la faisait rire ou sourire, et il souriait avec elle pour un oui, pour un non.

L'infirmière-chef vint le voir, vers dix heures du matin, après lui avoir fait demander fort protocolairement s'il pouvait la recevoir. C'était une vieille dame d'allure aristocratique qui parlait en avançant les lèvres comme si elle suçait un bonbon.

— Maintenant que vous allez mieux, je me permettrai de passer chaque jour pour m'assurer que vous ne manquez de rien.

Il avait envie de répondre comme à une religieuse :

— Oui, ma sœur.

Elle était à peine sortie qu'il demandait à Anne-Marie :

— Elle sait ?

— Quoi ?

— Le docteur !

— Elle nous a surpris il y a quatre jours.

— Elle n'a rien dit ?

— Qu'aurait elle pu dire ?

Il attendait avec une certaine impatience la visite du médecin. Cela l'intéressait de le revoir, car ce n'était plus désormais un personnage mystérieux et assez redoutable, mais un homme comme lui.

— Il est marié ?

— Et père de trois enfants, dont l'aînée est une jeune fille ravissante.

Jourdan vint en blouse blanche, son stéthoscope au cou, sans prêter la moindre attention à Anne-Marie. Il avait quarante ou quarante cinq ans. Dudon savait par l'infirmière qu'il habitait un bel appartement dans le quartier des Champs-Elysées et qu'il avait la passion des automobiles de course.

C'était très bien. Tout était très bien. Premières images d'un monde nouveau où on avait fini par l'accueillir.

— Pas de douleurs, depuis hier ?

— Pas de douleurs, docteur.

— Pas de vertiges, de cauchemars ?

— Je ne me suis jamais senti aussi léger.

De tout près, à cause des lunettes, il voyait au docteur des yeux énormes, mais il était sûr, à présent, que quand Jourdan les retirait il devait avoir l'air d'un grand garçon assez gauche.

Il en reparla à Anne-Marie, plus tard, vers onze heures, quand la femme de ménage, qui était en retard, les laissa seuls.

— C'est lui qui vous l'a demandé ?

On aurait dit que le jeu avait déjà ses règles, par exemple qu'il n'était jamais nécessaire de s'expliquer.

— Non.

— C'est vous ?

— Non plus.

— Alors ?

— Il m'a regardée en devenant un peu rouge et a retiré ses lunettes. Puis il a toussoté et a posé ses deux mains sur mes hanches.

— Comment savait-il ?

— Que je voulais bien ?

— Oui.

— Il m'avait regardée et il avait compris.

— C'est magnifique !

— Qu'est-ce qui est magnifique ?

— Tout.

La pluie avait cessé, mais des nuages rapides passaient au-dessus des toits, transpercés parfois par un rayon oblique de soleil. Au-delà de l'arbre, de l'autre côté du jardin, s'élevait un mur sans fenêtres, le flanc d'une maison de six ou sept étages ; pour cacher la laideur des briques, on avait recouvert ce mur de croisillons de bois peints en vert, comme ceux qu'on installe souvent pour y faire monter du lierre ou de la vigne vierge. Ici, il n'y avait pas de lierre. C'était un luxe.

A onze heures et demie, il reçut une visite, celle

de Mme Lenfant, sa concierge de la rue du Saint-Gothard, qu'il voyait pour la première fois avec un chapeau et qui ressemblait ainsi à ces femmes d'un certain âge, aux jupes douteuses et pendantes, qui collectent le prix des chaises dans les églises. Elle s'avançait prudemment, méfiante, dans ce décor dont la richesse lui apparaissait comme un affront personnel ou comme un piège.

— Ainsi, il paraît que vous allez enfin mieux.

C'était plutôt un reproche qu'une amabilité. Et le regard qu'elle lui lançait, qu'elle posait ensuite, plus incisif, sur Anne-Marie, était pour lui comme la quintessence de l'ancien monde.

— Si cela n'avait pas été de la police, je n'aurais même pas su que vous aviez eu un accident. Est-ce que vous comptez bientôt revenir, maintenant que vous voilà gaillard ?

— Je ne crois pas.

— Je suis venue au sujet de la clef. Vous avez laissé votre fenêtre ouverte en partant et la pluie a transpercé le plancher, faisant de grandes marques au plafond des gens du dessous. Ils se plaignent. Ils vont aller voir la propriétaire, et c'est leur droit. Je n'ai aucune envie d'entrer chez vous, étant donné que vous avez toujours si soigneusement fermé votre porte à tout le monde, mais je ne pense pas qu'on puisse continuer à laisser pleuvoir dans la maison.

Il se tourna vers Anne-Marie.

— Vous savez où sont mes affaires ?

— Dans le placard.

Il ne s'était jamais douté que ses vêtements étaient si près de lui. Sans raison, il aurait été tenté d'imaginer qu'ils n'avaient aucune place ici, qu'on les avait détenus Dieu sait où.

— Voulez-vous me passer mon trousseau de clefs ?

C'était une étrange chose de les tenir dans sa main, lisses et comme vivantes. Il y en avait plusieurs dans l'anneau, y compris celle des bureaux Mallard et la petite clef du coffre-fort, plus brillante que les autres. Heureusement que Félicien Mallard en possédait un double. Est-ce que, le matin qui avait suivi son accident, Mlle Tardivon avait attendu longtemps sur le palier ?

— Voici la clef de mon appartement, madame Lenfant.

— Je vous prie de croire que je ne toucherai qu'à la fenêtre, et je le dis devant cette demoiselle. Je ne suis pas une femme curieuse.

— Cela n'a pas d'importance.

— Si cela n'en a pas pour vous, cela en a pour moi, et je tiens à ma réputation.

— Je n'ai pas eu l'intention de vous offenser.

— Je l'espère.

Elle se tenait sur une jambe comme une cigogne, dont elle avait les yeux ronds et fixes.

— Eh bien, je vous souhaite meilleure santé.

Il n'était pas fâché de l'avoir vue. D'abord, cela lui montrait le chemin parcouru, car on aurait dit que la concierge s'était ingéniée à offrir une caricature de ce à quoi il avait échappé.

C'était surtout pour Anne-Marie qu'il était enchanté de cette visite, qui valait toutes les explications. Elle avait beau comprendre à demi-mot, il y a des choses qu'il faut comme renifler par soi-même.

La preuve, c'est qu'elle était pensive en revenant de conduire Mme Lenfant à l'ascenseur.

— Vous avez vécu longtemps dans cette maison ?

— Dix-huit ans.

— Où est-ce ?

— Au coin de la rue du Saint-Gothard et de la rue Dareau, un vilain immeuble de sept étages, avec deux appartements par étage et un tapis usé qui ne va que jusqu'au troisième. La ligne de chemin de fer passe sous les fenêtres.

— Et vous êtes resté si longtemps ?

— Oui.

— Par goût ?

Il devint plus grave, lui aussi.

— Oui.

— Ce n'était pas cette femme qui s'occupait de votre ménage ?

— C'était moi.

— Le samedi soir ?

— Le dimanche matin.

— Vous faisiez votre lit tous les jours ?

— Mon lit et ma cuisine.

— Vous y retournerez en sortant d'ici ?

— Jamais.

— Vous étiez dans vos meubles ?

— Qu'est-ce que vous en pensez ?

— Je pense que oui.

— Vous avez gagné.

— Ils sont laids ?

— Ils ressemblent autant que possible à ceux qu'il y avait chez ma mère. Vous comprenez ?

— Je crois.

— Et vous, vous êtes dans vos meubles ?

— Non.

— Pourquoi ?

— Pour la raison contraire. J'ai un appartement meublé près de l'avenue de la Grande-Armée. Il y a une cuisine, mais, la plupart du temps, je me contente d'y préparer mon petit déjeuner.

— C'est joli ?

— Moderne.

— Cela ressemble à chez vos parents ?

— Pas du tout.

C'était beaucoup en une fois. Ils avaient le temps

devant eux. Anne-Marie disparut pendant près d'une heure.

— Le docteur ? lui demanda-t-il quand elle revint.

— Pas aujourd'hui. D'ailleurs, il est en train d'opérer.

— Quelqu'un d'autre ?

— Quelqu'un à qui je devais téléphoner, mais pas d'ici.

Ils pouvaient garder ainsi des portions d'eux secrètes et ce n'était pas gênant.

Il déjeuna. Puis il dormit et elle fit encore la sieste. Quand il s'éveilla, il fut presque ému d'entendre sa respiration régulière, de la voir assoupie dans son fauteuil, les deux jambes sur une chaise. On était samedi. Il s'attendait à la visite de Félicien Mallard, s'étonnait qu'il ne fût pas encore venu.

— Vous connaissez bien M. Lacroix-Gibet, mademoiselle Anne-Marie ?

— Pourquoi dites-vous mademoiselle ?

— Je m'habituerai.

— Il m'appelait « ma petite Anne-Marie », ou encore « ma petite » tout court. Cela vous renseigne-t-il ?

— Non.

— Il y a des hommes qui appellent « ma petite » toutes les femmes qui ne sont pas de leur monde.

Il prit le temps d'y penser.

— Avec lui aussi ?

— Fatalement.

— Pourquoi, fatalement ?

— C'est difficile à expliquer. Vous comprendrez vous-même.

— Il a épousé sa femme pour son argent ?

— C'est probable.

— Il la trompe ?

— Il ne fait que ça, à se demander comment il

trouve le temps de s'occuper de ses affaires et du conseil municipal.

— Sa femme est jalouse ?

— Il ne l'intéresse plus. Elle vit dans une autre sphère, entourée d'artistes de diverses nationalités, de peintres, de sculpteurs, de musiciens. Elle est très maigre, ne s'habille pas comme tout le monde et se sert d'un long fume-cigarette en ivoire. Enfin, elle est ivre à peu près toutes les nuits.

— Vous êtes sûre qu'elle n'est pas jalouse ?

— Elle le connaît trop bien pour ça.

— Que voulez-vous dire ?

— Qu'il ne pourrait pas se passer d'avoir des aventures et de les choisir compliquées. C'est probablement de la vanité de sa part. Il ne s'intéresse qu'aux femmes du monde mariées à des gens titrés ou à des personnages importants, peut-être parce qu'il croit que c'est plus difficile. Et il passe sa vie à trembler à l'idée d'un scandale. Ici, il donnait sans cesse des coups de téléphone mystérieux. Tout le monde, même son secrétaire, devait sortir de la chambre, et il accusait la standardiste d'écouter ses conversations. Comme c'est en outre le genre d'hommes qui écrit, il a toujours des lettres compromettantes à récupérer.

— Il vous a fait des confidences ?

— Pas exactement des confidences, mais un homme, surtout quand il est malade, éprouve le besoin de parler.

— Comme moi ?

— Vous ne parlez presque pas. Je comprends quand même, mais c'est différent. Et vous n'êtes pas douillet.

— Il est douillet ?

— C'est vous qui avez dit que c'est un mou, et je me suis demandé comment vous l'aviez deviné. On ne pouvait pas le laisser seul cinq minutes sans entendre sa sonnerie. Au fait, vous ne m'avez jamais sonnée.

— Je ne savais pas qu'il y avait une sonnerie.

— Le bouton pend au-dessus de votre lit.

— Pourquoi sonnait-il ?

— Parce qu'il avait mal, ou qu'il avait peur.

— Peur de quoi ?

— De mourir. Il se faisait faire des analyses et des tests, se préoccupait de son cœur, de son foie, de ses reins. Sa grande terreur était de devenir impuissant.

— Il avait des raisons ?

— Pour ce que j'en sais, il est à peu près comme les autres. Les hommes se font toujours des idées là-dessus.

Il s'écoula bien un quart d'heure avant qu'elle revînt sur ce sujet et, pour la première fois, elle parut hésiter.

— Vous savez quelque chose, n'est-ce pas ?

Il ne dit ni oui ni non, et elle conclut que cela signifiait oui.

— Je m'en suis doutée quand il s'est mis à téléphoner chaque jour pour prendre de vos nouvelles et qu'il nous a adressé tant de recommandations. Hier, il m'a posé une question.

Il ne demanda pas laquelle.

— Il voulait savoir si vous aviez déliré et ce que vous aviez dit.

— J'ai parlé ?

— De péchés.

— Rien d'autre ?

— C'est à peu près le seul mot que j'aie compris, parce que ces deux syllabes revenaient plus souvent que les autres. Il a paru soulagé quand je lui ai affirmé que je n'avais rien entendu. Vous ne le connaissiez vraiment pas ?

— Non.

Elle le crut, après l'avoir observé un moment avec attention.

— Dans ce cas, je me trompe peut-être.

— Non.

— Vous savez quelque chose sur son compte ?

— Seulement depuis hier. Il craint que je fasse mention de la femme qui était avec lui dans l'auto et qui a disparu après l'accident.

— Vous êtes sûr qu'il y avait une femme ?

— J'en suis certain. C'est aussi net dans ma mémoire qu'une pellicule photographique.

— Vous l'avez reconnue ?

— Je ne la connais pas. Elle portait un chapeau blanc.

Des minutes encore. C'était l'heure du thé. On entendait un léger murmure de voix dans la chambre voisine, où une jeune femme recevait chaque après-midi ses deux enfants que lui amenait une gouvernante. Dudon les avait aperçus dans le corridor, par sa porte entrouverte : un petit bonhomme et une fillette, habillés comme pour une parade.

C'est Anne-Marie qui ramena le sujet sur le tapis.

— Pourquoi m'avez-vous confié ça ?

— Au sujet de M. Lacroix Gibet ?

— Vous n'avez pas peur que je lui en parle ? Je vous ai dit que j'avais travaillé pour sa femme et pour lui.

— Ce n'est pas la même chose.

Parce qu'il lui faisait si simplement confiance, elle fut touchée, puis, tout de suite, trouva prétexte à rire pour changer l'atmosphère. On annonçait une visite. Ce n'était pas encore Mallard, mais cela venait néanmoins de la rue de Turbigo.

Mlle Tardivon, en grande tenue, resta un moment immobile sur le pas de la porte, un bouquet de violettes d'une main, son mouchoir de l'autre. Elle avait le nez rouge et elle se hâta de dire :

— Je ferais sans doute mieux de ne pas m'approcher pour ne pas vous donner mon rhume.

Sa voix en était changée. Elle parlait du nez, avait les yeux humides, comme quand on épluche des oignons, et paraissait vraiment misérable. C'est à Anne-Marie qu'elle tendit le bouquet, après un instant d'hésitation.

— Il faudrait le mettre dans l'eau.

C'étaient les premières fleurs qu'il recevait et il échangea un regard avec Anne-Marie, un regard sans compassion, dans le genre de celui qui avait commenté les jérémiades de Mme Mallard.

— Tous les employés m'ont chargée de vous présenter leurs souhaits de prompt rétablissement et de vous dire que, sans vous, le bureau paraît triste.

Ce n'était pas vrai. Ils le détestaient. Dudon était leur bête noire. Les plus jeunes passaient leur temps à l'imiter derrière son dos et prétendaient, à tort ou à raison, qu'il sentait le bouc : il le savait pour avoir surpris des conversations à travers sa cloison.

— Vous avez bonne mine. On ne croirait pas que vous revenez de si loin.

— Je n'ai jamais été aussi heureux de ma vie.

Il le faisait exprès de dire ce qu'il ne fallait pas dire, et elle en était déroutée.

— Voilà ! Je crois que je ne dois pas m'attarder, surtout avec mon rhume. Ce serait trop bête de vous le donner.

Elle dut se moucher longuement et elle en fut confuse ; elle regardait d'un air de reproche le corsage agressif d'Anne-Marie, son visage éclatant de santé.

— A bientôt, j'espère, monsieur Maurice.

Il était sûr qu'en traversant la cour, puis en suivant les trottoirs pour aller prendre son métro, elle remuait les lèvres et déversait solitairement sa bile sur Anne-Marie, sans raison précise, d'instinct. Elle en parlerait au bureau lundi matin. Ce soir, elle commencerait par en parler à sa mère, avec qui elle vivait dans un logement de la rue Picpus, au-dessus d'une quincaillerie.

Anne-Marie et lui ne firent aucun commentaire. Mais il demanda, sa pensée ayant suivi un chemin détourné.

— Vous êtes née à Paris ?

— A Nantes.

Il aurait aimé savoir de quel genre de famille elle sortait, et elle le lui dit d'elle-même.

— Mon père est professeur de chimie à l'Université.

— Il vit toujours ?

— Bien sûr. Il n'a que cinquante-neuf ans.

— Vous avez des frères et sœurs ?

— Quatre sœurs.

— Plus jeunes que vous ?

— Sauf une. La dernière est encore au lycée. C'est la pire.

Chaque chose viendrait en son temps. Il n'essayait pas de se faire d'un seul coup une image d'ensemble — il n'y serait pas parvenu. Il ne se dépêchait pas non plus de remplir un coin du puzzle. C'était plus amusant de laisser faire le hasard. Ils passaient d'un sujet à l'autre et, exprès, pour compliquer le jeu, embrouillaient les pièces.

— Votre père est fâché ?

Il ne précisait pas. Il n'y avait pas besoin de précisions.

— Il y a longtemps qu'il en a pris son parti. Vous travailliez dans la même pièce que cette demoiselle ?

— Pourquoi ?

— Parce que c'est une rousse qui transpire.

— J'avais mon coin à moi, une sorte de cage entourée de cloisons, et je ne communiquais avec les autres qu'à travers un guichet.

— C'est bien ce que je pensais. Voilà votre ex-patron qui arrive.

— Comment le savez-vous ?

— Je reconnais son pas.

C'était vrai. Elle avait un don spécial pour reconnaître non seulement le pas des gens, mais tous les bruits. Quand une porte s'ouvrait dans la clinique, elle disait, sans se déranger, de quelle chambre il s'agissait, et elle annonçait, au roulement des voitures dans la cour, au claquement des portières, la venue des différents médecins.

Félicien Mallard ne lui apportait pas de fleurs, mais une énorme corbeille de fruits qu'il avait achetée dans une épicerie de luxe de la Madeleine.

— J'ai téléphoné pour m'assurer que vous avez le droit de manger. Ma femme s'excuse de ne pas y avoir pensé hier. En vérité, elle ne s'imaginait pas que vous étiez déjà si bien.

Il avait un autre paquet à la main et il se tourna gauchement vers Anne-Marie.

— Je me suis permis de vous apporter un produit de la maison.

C'était une terrine de foie Mallard. Une des pointes de ses moustaches était légèrement relevée, l'autre tombait sur le coin de sa bouche, comme s'il l'avait sucée en route, et c'était probablement ce qu'il avait fait, assis dans l'auto derrière son chauffeur. Il portait un pardessus de demi-saison beige qui n'allait pas avec son complet noir et ses yeux étaient plus « chien battu » que d'habitude.

— Vous ne voulez pas vous asseoir ? proposa Anne-Marie.

— Je ne vais pas rester longtemps. Ma femme et ma fille sont en bas dans la voiture. Nous avons pensé que cela changerait les idées de Françoise d'aller passer le week-end à la campagne. Le temps n'est pas bien beau, mais cela peut s'améliorer d'ici demain.

Dudon ne lui demandait pas où ils allaient. Depuis des années, quand ils partaient en fin de semaine, c'était invariablement pour une hostellerie des bords de la Loire, près du château de Chambord.

Mallard ne pêchait pas, ne chassait pas, ne jouait pas au golf ; ni lui ni sa femme ne connaissaient le bridge et ils s'installaient sur la terrasse, dans des fauteuils transatlantiques ; ou bien, lorsqu'il pleuvait, Mme Mallard montait dans sa chambre pendant que son mari allait faire un billard dans un bistrot du village.

Au moment de sortir, il se retourna pour remercier :

— Ma femme m'a dit que vous aviez beaucoup causé tous les deux hier après-midi et que vous l'aviez réconfortée.

Sa grande main osseuse serra celle de Dudon qui, cette fois, adressa carrément un clin d'œil à Anne-Marie.

C'en fut fini pour les visites. Ce n'était d'ailleurs pas tellement désagréable. Mais, en ce qui concernait Mallard, par exemple, cela suffisait. Il fallait un certain temps, quand les gens étaient partis, pour que l'ambiance reprît son intimité.

— Combien de temps croyez-vous qu'on va me garder ici ?

— J'ai entendu parler de six semaines. Ce n'est pas tant à cause des soins dont vous avez besoin que parce qu'on veut vous maintenir en observation.

— Ils ont peur que je devienne fou ?

— Pas nécessairement fou.

— Bizarre ?

— Ce n'est pas cela. Certaines cellules du cerveau auraient pu être affectées.

— Et maintenant ?

— Ce n'est plus à craindre.

— Qu'est-ce qu'on craint, alors ?

— Je ne sais pas. Peut-être rien. M. Lacroix-Gibet prend ses précautions.

— Cela ne vous ennuie pas de rester si longtemps sans rentrer chez vous ?

— J'en ai l'habitude. J'aurais pu m'engager dans un hôpital ou dans une clinique comme celle-ci et ne travailler que huit heures par jour. Lundi...

Il y eut un silence et Dudon se sentit devenir très sensible. En même temps, il était en proie à une angoisse physique qu'il n'avait pas encore connue. Cela partait du centre de la poitrine, à un point très précis, une gêne plutôt qu'une douleur, et cela s'irradiait, surtout du côté gauche, où son cœur se trouvait soudain comme comprimé. Ses mains s'étaient couvertes de sueur, ses yeux brillaient.

— Lundi ?...

— Chut !... J'ai eu tort de vous en parler d'avance. Maintenant, il est trop tard pour me taire ; vous allez vous agiter inutilement. Lundi, c'est mon jour de congé, car je prends un jour de congé par semaine et une camarade viendra me remplacer.

— Elle est déjà venue ?

— Lundi dernier. Vous voyez ! Vous ne vous en êtes même pas aperçu.

Le malaise persistait. Il était malheureux, désorienté. Il dut avaler sa salive avant de parler.

— Le coup de téléphone ?

— Oui.

— Un homme ?

— Bien sûr.

Un voile était tombé sur eux et ils évitaient de se regarder.

— Cela vous fait quelque chose ?

Il ne répondit pas ; sa gorge était trop serrée.

— Pourtant, avec le docteur et les autres, vous ne vous en préoccupiez pas.

Il avala à nouveau, sa pomme d'Adam était dure comme un noyau.

— Beaucoup d'autres ?

— Cela dépend. Trois ou quatre.

— C'est différent.

Il fut étonné qu'elle comprît ça et ne lui posât pas de questions : c'était différent parce que cela n'interrompait pas... Cela n'interrompait pas quoi ? S'il l'avait exprimé avec des mots, ce serait devenu ridicule. Il n'y avait rien, que le fait qu'ils vivaient tous les deux dans une chambre sous les fenêtres de laquelle un gros arbre se dessinait devant un mur. Il était couché dans son lit et elle allait et venait autour de lui, en blouse blanche, suivant un horaire qu'il connaissait par cœur et auquel il tenait déjà comme à de vieilles habitudes.

Pas à des habitudes, non ! C'était davantage. Tout avait un sens. A la surface, il n'y avait, comme dans la salle d'opération à la lumière féroce, qu'une sorte de pantomime bien réglée, des gestes harmonieux, des regards qui se rencontraient avec joie et confiance.

— Quand reviendrez-vous ?

— Je serai ici mardi matin pour vous éveiller.

— Vous allez loin ?

— Il a une propriété près de Honfleur.

— Et un bateau ?

— Et un bateau.

— Marié ?

— Marié.

Ce fut la fin du brouillard, d'un seul coup. Il poussa, à ce mot, un soupir de soulagement si profond, si sincère, si inattendu, surtout, qu'elle éclata de rire.

— Cela va mieux ?

Il avoua :

— Oui.

— Vous verrez que ma remplaçante est agréable.

Peut-être, quand je reviendrai, demanderez-vous à la garder ?

— Je sais que non.

— Moi aussi. Maintenant, je vais chercher votre dîner.

Au moment où elle frôlait son lit, il la retint par la main et fut surpris de son geste. A la vérité, il ne savait que lui dire. Il ne voulait pas qu'elle le quittât tout de suite, même pour quelques minutes, après le mauvais moment qu'il venait de passer. Elle attendait, souriante :

— Dites-moi... Quand vous étiez petite...

— Qu'est-ce que vous appelez petite ?

— Quand vous étiez une gamine, une jeune fille, est-ce que, déjà ?...

— A quinze ans.

— Ah !

Il la laissa partir et, tout le temps qu'elle resta absente, réfléchit gravement. Elle le surprit ainsi, posa le plateau devant lui.

— On peut savoir ?

— Quoi ?

— Où vous étiez.

— A Saintes. Je me remémore les petites filles que j'ai connues.

— Je croyais que vous ne fréquentiez pas les jeunes filles.

— Je ne leur parlais pas. Mais il y en avait dans notre rue, et même une dans notre maison, au rez-de-chaussée.

— Comment était celle-là ?

— Maigre et très blonde. Elle passait des heures assise sur le seuil, le menton dans les mains.

— Qu'est-ce que vous vous demandiez ? Si elle faisait la même chose ?

— Oui.

— J'ai quatre sœurs. Il y en a une, l'aînée,

qui ne s'est jamais laissé toucher. Elle est chimiste, comme mon père, et travaille dans un laboratoire. Vous ne mangez pas ? Vous n'avez pas d'appétit ?

— Si.

Il n'était pas triste au fond. Le nuage était déjà dissipé. La journée du lundi passerait vite et ce n'était pas pour tout de suite. Ils avaient encore le dimanche devant eux. Mais il lui faudrait s'habituer à certaines idées, les digérer. Peut-être était-il allé trop vite ? C'est quand Anne-Marie s'éloignait qu'il s'en apercevait et qu'il avait un peu peur.

— J'ai oublié de vous dire que vous pouvez commander pour vos repas tout ce qui vous fait plaisir. A condition que ce ne soit pas interdit par le médecin, on vous le donnera. Vous avez même droit à un peu de vin coupé d'eau, je l'ai vu sur la liste.

— Je ne bois pas.

— Par goût ?

Ce fut sa première tricherie. Sans raison précise, il préféra ne pas lui avouer que le vin et l'alcool lui donnaient des brûlures d'estomac, il resta dans le vague.

— Je ne sais pas.

— Moi, il m'arrive de boire, mais seulement quand je ne suis pas en service.

— Beaucoup ?

— Trop.

— Vous racontez des bêtises ?

— J'en fais.

— Vous êtes une drôle de fille.

— Vous me l'avez déjà dit.

— Je ne sais pas comment je ferai pour me passer de vous.

— Mangez.

— Je mange.

— Dans ce cas, je vais chercher mon plateau

et nous finirons ensemble, car je mange plus vite que vous.

Il ne se passa rien, ce soir-là. Après dîner, il se sentit plus lourd, fatigué. Il se promettait cependant de la regarder lire, puis de rester éveillé pendant qu'elle se mettrait au lit, mais il s'endormit presque aussitôt, une moue aux lèvres.

Beaucoup plus tard, comme quand il avait encore de la fièvre, il eut conscience qu'elle allait et venait dans la lumière jaunâtre de la chambre, mais il ne s'éveilla à moitié que quand elle le soutint par les épaules en lui tendant son médicament.

— Buvez. Continuez à dormir. Ce n'est pas la peine de vous éveiller pour faire votre toilette.

Il balbutia en la regardant avec des yeux brouillés de sommeil :

— Vous croyez ?

Il hésita à saisir sa main pour la glisser sous le drap, sourit vaguement, bredouilla :

— Bonne nuit.

Elle arrangea son oreiller, sa couverture et, avant de se relever, posa un léger baiser sur son front.

— Bonne nuit.

5

UNE coupure de journal épinglée à la lettre de sa mère. La lettre commençait par :

Cher enfant,

C'est ton cousin Léon qui m'envoie ceci de Paris...

Léon était en réalité un petit cousin, du côté Charlebois évidemment, le fils de la cousine au mariage de laquelle il avait assisté encore enfant, à Cognac. Dudon ne l'avait jamais vu, ne savait pas qu'il vivait à Paris. Chaque fois qu'il rendait visite à sa mère, il était surpris de la patience qu'elle apportait à renouer les fils avec la famille.

L'entrefilet, sans titre, avait dû paraître à la rubrique des faits divers.

Hier, vers huit heures et demie du soir, un nommé Maurice Dudon, trente-neuf ans, comptable, habitant 37 bis, rue du Saint-Gothard, a été renversé, rue

Choron, par une auto appartenant à Philippe L..., également de Paris.

Fracture du crâne. Le blessé a été conduit dans une clinique privée de Passy.

Le journal n'en disait pas davantage. Sa mère continuait :

Sans mes rhumatismes, j'aurais pris le train pour aller te soigner, mais l'hiver, ici, a été très humide et j'ai beaucoup souffert. Je souffre encore, et le printemps ne se décide pas à venir. J'espère que ta concierge te fera suivre cette lettre, que j'adresse rue du Saint-Gothard faute de connaître le nom de la clinique.

Je suppose que c'est Philippe L... qui paie ces frais-là, et c'est bien le moins. Léon me dit qu'il ne sait rien de plus sur ton compte pour me donner de tes nouvelles.

L'homme qui t'a renversé est-il riche ? Si oui, n'aie pas honte de lui réclamer de gros dommages et intérêts. Tu as toujours été trop fier ou trop timide, et cela ne t'a pas avancé. La victime les obtient toujours. *J'ai une voisine — c'est Mme Laudanet, dont tu te souviens peut-être, celle qui avait une tête de poupée — qui a pu s'acheter une maison à la suite d'un accident, et je suis sûre qu'elle vivra cent ans. Elle touche une rente par-dessus le marché. Ne te laisse pas prendre par de bonnes paroles. Ces gens-là essaient toujours de s'en tirer au meilleur compte. Si même il n'est pas riche, n'aie pas de scrupules, puisque c'est l'assurance qui paie.*

Profites-en pour te reposer. La dernière fois que tu es venu, tu n'avais pas bonne mine. Tu travailles trop chez M. Mallard, qui t'exploite.

Une de mes locataires est morte la semaine dernière. Elle avait quatre-vingt-deux ans et vivait seule.

Cela me met un appartement sur les bras et il est dans un tel état de saleté que je devrai le faire repeindre et changer les papiers si je veux avoir des chances de le louer.

Tante Louise, qui est allée à Londres comme chaque année, a offert de me payer le voyage, mais mes jambes ne m'ont pas permis de l'accompagner.

Je me suis renseignée sur les fractures du crâne. Il paraît que cela ne laisse presque jamais de trace.

Ta mère.

-:-

Il avait reçu cette lettre le lundi matin, des mains de la remplaçante, Mlle Jeannette. Elle était fort différente de ce qu'il avait imaginé et n'avait pas l'air d'une infirmière. Elle était très élégante, paraissait plus jeune qu'Anne-Marie. Elle était arrivée en tailleur bleu marine, avec des souliers à hauts talons, une valise à la main, et elle marchait d'une façon différente de toutes celles de la clininique ; allait à grands pas nets, plutôt comme une secrétaire dans un bureau important.

— Merci. Le docteur m'a donné hier la permission de lire. Cela ne me fatigue presque plus.

Elle avait retiré son chapeau, sa jaquette, sorti de sa valise sa blouse blanche et sa coiffe. La blouse n'était pas en toile comme les autres, mais en tissu soyeux, d'une coupe coquette.

— Si je fais quelque chose autrement qu'Anne-Marie, n'ayez pas peur de me le dire.

Elle s'installait comme quelqu'un qui en a l'habitude, un peu à la façon des gens qui voyagent beaucoup et s'installent pour la nuit dans un train, rangeant ses objets personnels à portée de sa main.

Il y avait du soleil, ce matin-là.

— Préférez-vous les stores levés ou baissés ?

— Baissés, les lattes légèrement écartées.

Elle lui lançait de temps en temps un coup d'œil curieux, sans insister, et il eut la conviction qu'Anne-Marie avait parlé de lui.

— Cela vous ennuierait si je laissais la porte ouverte ?

— Pas du tout.

Il savait que la plupart des malades, dès qu'ils allaient mieux, avaient l'habitude de garder leur porte ouverte une bonne partie de la journée. C'était d'ailleurs assez curieux, car on devinait ainsi, tout près de soi, la vie intime de gens qu'on n'avait jamais vus ; on les entendait parler, téléphoner, recevoir leurs parents et amis et, quand la porte se refermait, on savait que c'était l'heure des soins.

Il n'avait pas tardé à comprendre pourquoi Jeannette préférait la porte ouverte. Elle avait retrouvé à la clinique une camarade qui était la garde privée de la dame aux deux enfants. Elles passèrent la plus grande partie de leur temps dans le corridor, à égale distance des deux portes, se penchant parfois pour apercevoir leurs malades.

Elles parlaient à mi-voix. On n'entendait qu'un murmure confus. C'était surtout Jeannette qui parlait avec animation et qui pouffait souvent de rire.

La voisine aux deux enfants avait été opérée de la vésicule biliaire. Elle n'avait que trente ans. Elle était comtesse et habitait un hôtel particulier du côté du Trocadéro. Sa chambre était pleine de fleurs, il en arrivait de nouvelles chaque jour et, le soir, on entendait les allées et venues de l'infirmière qui rangeait les vases dans le corridor, pour la nuit.

Lui n'avait toujours que le bouquet de violettes de Mlle Tardivon, qui commençait à se faner. Il avait à peine touché aux fruits de la corbeille, et Anne-Marie n'avait mangé que quelques raisins.

— Vous permettez ? demanda Jeannette.

— Prenez-en autant que vous voudrez. Je n'en ai pas envie.

Non seulement elle mangeait les fruits, mais elle venait en chercher pour son amie et toutes deux bavardaient la bouche pleine.

Le docteur vint le voir rapidement, ne s'assit pas, lui annonça qu'il passerait un examen complet dans deux ou trois jours. Il portait des pantalons de toile blanche sous sa blouse, ce qui signifiait qu'il allait opérer. C'était son habitude, pour ne pas perdre un instant, de jeter un coup d'œil à ses malades pendant qu'on préparait son patient. Parfois il avait à peine le temps de se changer et de sauter dans sa voiture pour aller opérer à l'hôpital ou dans une autre clinique.

C'était une coïncidence que la lettre de sa mère fût arrivée ce matin-là, car, vers onze heures, Jeannette, sans aucun avertissement, fit entrer dans la chambre un petit monsieur très net, tiré à quatre épingles, qui tenait une serviette à la main.

— Je suppose que M. Lacroix-Gibet vous a averti de ma visite ?

Il dut débarrasser une chaise pour s'y asseoir, releva les jambes de son pantalon par crainte de faux plis, sortit une cigarette d'un bel étui et, après un coup d'œil autour de lui, l'y remit sans manifester de regret.

— Je représente la compagnie d'assurances et, tout comme notre client, M. Lacroix-Gibet, j'ai pensé qu'il n'y avait aucune raison de ne pas régler cette question dès maintenant.

Il prit dans sa serviette une chemise qui contenait plusieurs documents, mais ne les consulta que pour la forme.

— Vous ne m'en voudrez pas si je vous parle en homme d'affaires et si je vous pose d'abord une ou deux questions qui déblayeront le terrain. Avez-vous déjà, directement ou par l'intermédiaire de votre avoué, pris des mesures pour intenter une action en dommages ?

Il le regardait dans les yeux, et Dudon ne chercha pas à mentir ou à tergiverser. Au fond, il était flatté qu'on puisse supposer qu'il avait un avoué.

— Non.

— Bien ! Parfait ! Voilà qui simplifie les choses. Seconde question : avez-vous l'intention d'en intenter une et, dans ce cas, quelle est la somme que vous réclamez ?

Dudon sourit en pensant à la lettre de sa mère et dit avec une candeur désarmante :

— Je n'y ai encore pas songé.

— Très bien ! Nous nous trouvons donc, comme je l'espérais, devant une situation parfaitement nette, qui nous permet d'entamer des pourparlers directs sans plus tarder.

Il se leva pour aller refermer la porte que Jeannette avait laissée entrouverte.

— Je suppose que vous connaissez la situation de M. Lacroix-Gibet ?

— Je sais qu'il est conseiller municipal.

— C'est exact sans l'être tout à fait. Non seulement il est conseiller municipal, mais il est le chef du groupe qui détient la majorité du conseil. Ceci afin de vous faire comprendre ses raisons d'éviter la publicité. Comme vous le voyez, j'abats mes cartes. L'accident n'a pas eu de témoin. J'ai ici le rapport de police ainsi que celui des experts.

Il tendit à son interlocuteur deux feuillets, dont l'un ressemblait à un bleu d'architecte avec des traits pleins, des pointillés, des croix marquées A, B, C, A', B', C' et Dudon fut impressionné de voir son accident ainsi transformé en une sorte de problème de géométrie.

— Je vous en laisserai une copie, que vous aurez le loisir de montrer à votre avocat. Vous constaterez que la question de responsabilité peut être résolue dans un sens aussi bien que dans l'autre et que les parties ont à peu près des chances égales. Je vous répète, monsieur Dudon, que je ne vous prends pas en traître et j'admets que vous possédez une base aussi solide pour plaider que nous en avons pour nous défendre.

On avait l'impression qu'il aurait récité son discours avec autant de conviction et d'ardeur dans sa chambre, seul devant un miroir. Ses mains étaient soignées, ses ongles manucurés ; il portait une lourde chevalière qui hypnotisait Dudon.

— Sommes-nous d'accord jusqu'ici ?

Il n'avait pas besoin de répondre. Cet homme-là ne devait même pas imaginer qu'on pût ne pas être d'accord avec lui. Il jouait sa scène, avec une sorte de jubilation intérieure.

— Donc, d'une part, une cause litigieuse. De l'autre, M. Lacroix-Gibet qui, pour la raison que je vous ai exposée, préfère éviter un procès et la publicité qui en découlerait.

» Maintenant, quoique ce ne soit pas strictement de mon ressort, permettez-moi de vous toucher deux mots du caractère de mon client. Un des traits de ce caractère, que ses ennemis politiques reconnaissent, c'est sa sensibilité, d'autres diraient sa générosité. »

Il eut un geste pour arrêter une protestation imaginaire.

— Ne prenez pas ceci en mauvaise part. Il n'est pas question de générosité en ce qui vous concerne. Il y a le fait que M. Lacroix-Gibet a blessé un homme pour la première fois de sa vie, qu'il a cru un moment l'avoir tué, qu'il en a été terriblement affecté et qu'il tient à réparer le mal qui a été fait, quelles que soient les responsabilités. De sa propre initiative, vous ne l'ignorez pas, il vous a fait conduire dans cet établissement et placer entre les mains d'un des chirurgiens les plus réputés de Paris. Passons !

Comme avec Lacroix-Gibet, Dudon, très calme, attendait, les yeux fixés tantôt sur la chevalière, tantôt sur le nœud papillon de son interlocuteur.

— J'ignore combien un avocat vous conseillerait de réclamer, même avec un rapport moins discutable. Nous avons décidé, si vous penchez pour une solution amiable, de fixer la somme à deux cent mille francs sans compter les frais d'hospitalisation, de garde et de médecin, et en réservant vos droits en cas de complications ultérieures.

Il avait hésité à prononcer le chiffre et Dudon savait qu'il aurait pu discuter. Sa mère ne le lui aurait jamais pardonné de sa vie si elle l'avait vu faire, sans un mot pour obtenir davantage, un signe d'assentiment.

— Fort bien ! Je vois, monsieur Dudon, que vous comprenez et que M. Lacroix-Gibet ne s'est pas trompé sur votre compte. Je m'en félicite d'autant plus que cela me permet de formuler une autre proposition, non plus, cette fois, comme représentant de la compagnie, mais comme porte-parole de M. Lacroix-Gibet. Sans doute n'ignorez-vous pas que la maison Gibet a la réputation de constituer une grande famille où il est d'autant plus difficile de pénétrer que le personnel y reste jusqu'à l'âge de la retraite. Un poste sera très prochainement vacant, celui d'inspecteur des dépôts de Paris, qui exige les qualités que vous possédez. Je ne connais pas le montant de vos émoluments chez M. Mallard. Nous aurions pu le savoir. Je ne crois pas trop m'avancer en vous affirmant que votre nouvelle situation serait de beaucoup supérieure et plus rémunératrice.

Et hop ! Dudon n'avait rien demandé, rien discuté. Ces messieurs étaient si pressés d'en finir qu'on lui avait apporté une formule de désistement toute préparée, qu'il n'avait qu'à signer, et un chèque déjà rempli à son nom.

Qu'aurait-il gagner à finasser ? Il signa, glissa provisoirement le chèque sous son oreiller. Le petit monsieur soigneux referma sa serviette à clef, se leva d'une détente, lui tendit la main et disparut comme par enchantement.

Dudon appela :

— Mademoiselle Jeannette !

Elle accourut.

— Mes affaires sont dans le placard. Voulez-vous voir si mon portefeuillle s'y trouve aussi ?

C'était un vieux portefeuille au cuir devenu roux et aux coins usés. Dans une pochette de cellophane, il aperçut sa carte d'identité, avec une photographie qui datait de plusieurs années, et il fut troublée devant ce visage aux traits figés, aux gros yeux qui regardait farouchement le vide. Sa mère aurait dit qu'il avait l'air d'un anarchiste. Pour la première fois, il ressentit de la pitié pour lui-même, pour l'ancien Dudon, peut-être aussi une certaine répulsion, et il se promit de changer sa carte d'identité dès qu'il quitterait la clinique.

— Je vous remercie. Vous pouvez le remettre à sa place. Pourquoi me regardez-vous comme ça ?

— Pour rien.

Elle n'avait pas l'air de tant se moquer de lui que de le trouver drôle. Qu'est-ce qu'Anne-Marie lui avait raconté ? Il aurait bien voulu le lui demander, mais n'osait pas.

— Je peux prendre encore une poire ? Vous ne trouvez pas que j'exagère ?

— Prenez tout ce que vous voudrez.

— Vous ne vous payez pas la tête des gens ?

— Moi ?

C'était le bouquet ! Lui qui avait toujours détourné les yeux parce qu'il avait l'impression qu'on le regardait avec ironie !

— Qu'est-ce que vous me trouvez d'extraordinaire ?

— Rien. Vous avez l'air de vous amuser. Quand vous me suivez du regard, il me semble que vous vous faites des réflexions à mon sujet. Anne-Marie m'avait prévenue. Qu'est-ce que vous avez envie de manger à midi ? J'ai vu qu'il y a des pigeons. Vous les aimez ?

— Oui.

Quand elle retourna dans le corridor, il l'entendit chuchoter longuement à l'oreille de son amie. Elle ne fit pas la sieste. Elle avait apporté des magazines, qu'elle lâcha dès que l'infirmière d'à côté se trouva libre.

Il dormit. L'infirmière-chef lui rendit visite vers quatre heures. Quand elle venait le voir, elle tenait à la main une feuille où elle avait l'air de noter les points de conduite des élèves.

— Comment vous sentez-vous, aujourd'hui, monsieur Dudon ?

— Très bien, madame.

— Je vois ici qu'il va être temps de vous exercer à marcher. Vous pourrez circuler un peu dans la chambre et vous asseoir dans le fauteuil. Peut-être feriez-vous bien de demander chez vous qu'on vous apporte une robe de chambre.

— Je m'en occuperai demain.

Il chargerait Anne-Marie de lui en acheter une, car celle de la rue du Saint-Gothard était une vieille robe de chambre couleur lie-de-vin qu'il avait achetée en solde plus de dix ans auparavant. Il est vrai qu'il ne la portait presque jamais.

— Dès aujourd'hui, si vous vous en sentez le courage, essayez, avec l'aide de l'infirmière, de vous asseoir au bord de votre lit afin de commencer la rééducation de vos muscles.

— Je préférerais commencer demain.

— Je n'insiste pas. D'habitude, ce sont les malades qui sont pressés.

Devinait-elle qu'il tenait à faire ses premiers pas avec Anne-Marie ?

— C'est tout ce que je vois vous concernant. Vous n'avez rien à me demander, aucun désir à me soumettre ?

— Non, madame. Merci.

Mallard ne vint pas ce jour-là et il le regretta, car il aurait préféré en finir. Jeannette lui apporta un journal du soir et il regarda les photographies et les gros titres, mais cela ne l'intéressait pas. Il pensait à la robe de chambre, à d'autres objets qu'il faudrait acheter, des pantoufles, par exemple, et des pyjamas, car il portait encore le linge de la clinique. Il avait vu des malades passer dans le couloir en robe de chambre et en pyjama de soie. Il ne les imiterait pas, mais il fallait quand même s'en occuper.

Faute d'avoir le courage d'écrire à sa mère, à qui il se sentait obligé de répondre, il dicta un télégramme à Jeannette :

Santé meilleure. Tout va bien. Maurice.

Elle se mettrait à trembler en voyant le télégraphiste à sa porte, s'imaginerait que la dépêche lui annonçait la mort de son fils, car, pour elle, un télégramme était nécessairement un message de malheur.

Il ne s'en préoccupait pas. Elle se remettrait vite de son émotion. Elle était plus coriace qu'elle n'en avait l'air, et, tout à coup, il se mit à rire, au grand étonnement de l'infirmière.

— N'ayez pas peur ; ce n'est pas de vous que je ris. Je pense à ma mère.

Si cela avait été Anne-Marie, il lui aurait confié sa pensée. Il avait imaginé sa mère recevant un télégramme lui annonçant sa mort et se précipitant chez son homme d'affaires pour intenter sur-le-champ un procès à Lacroix-Gibet et à la compagnie d'assurances. Elle n'aurait pas transigé, elle ! Sûrement pas à si bon compte ! Elle ne se serait pas acheté une maison, mais toute une rue !

— Vous ne lisez plus ?

— Non.

— Vous n'avez besoin de rien ?

Peut-être était-elle déçue qu'il ne lui parlât pas davantage et qu'il ne s'occupât pas d'elle ? Vers la fin de la journée, elle n'était pas tout à fait aussi aimable que le matin, comme si elle lui en voulait de se comporter autrement qu'avec Anne-Marie.

Celle-ci, demain matin, serait auprès de lui. Leur petite vie reprendrait. Il avait des quantités de choses à lui dire, car, sans en avoir l'air, il avait beaucoup pensé. Elle en savait davantage sur lui que n'importe qui, mais ce n'était pas suffisant. Elle se faisait encore, c'était fatal, un certain nombre d'idées fausses. Et qui sait ? Peut-être lui parlerait-il immédiatement de l'avenir ? A condition qu'elle soit la même en revenant. Il n'était pas sûr de ne pas la retrouver différente, comme après une longue absence. Il aurait tellement mieux valu qu'elle ne quittât pas la chambre pendant tout le temps nécessaire !

Jeannette portait des bas de soie très fins, avait une démarche comme on en voit aux élégantes des Champs-Elysées. Plusieurs fois, elle s'était remis du rouge à lèvres et avait arrangé ses cheveux châtains soyeux et ondulés.

Passait-elle, elle aussi, ses jours de congé à la campagne avec des hommes mariés ? Se laissait-elle faire par les médecins ?

— Vous êtes de Paris, mademoiselle Jeannette ?

— Née à Montmartre, rue Caulaincourt !

Elle avait des cigarettes avec elle, qu'elle allait fumer quelque part où probablement c'était permis. Elle ne mangeait pas dans la chambre. Il devait exister un réfectoire pour les infirmières et, maintenant qu'il n'avait plus autant besoin de soins, Anne-Marie y mangerait peut-être aussi ?

— A quelle heure avez-vous l'habitude qu'on fasse votre toilette de nuit ?

— Vers neuf heures.

— Je reviendrai dans un quart d'heure, à moins que vous m'appeliez avant.

Pourquoi, pendant presque tout ce temps-là, pensa-t-il à la petite fille qui habitait le rez-de-chaussée de leur maison, quand il était gamin ? C'était elle, sans le savoir, qui lui avait fait commettre ses plus gros péchés d'enfant. Lorsqu'il rentrait chez lui et qu'il la trouvait assise sur le seuil, les genoux hauts, il essayait de voir entre ses jambes, feignant de ramasser quelque chose sur le trottoir pour avoir l'excuse de se pencher, et, le soir, dans son lit, en entendant des bruits de voix dans la chambre juste en dessous de la sienne, il l'imaginait en train de se déshabiller et entretenait de mauvaises pensées.

— Mon père, je m'accuse d'avoir eu de mauvaises pensées.

Il ajoutait très vite, parce que cela lui paraissait plus honteux :

— Et des regards impurs.

Maintenant ses yeux riaient, car il évoquait le geste si naturel et si harmonieux d'Anne-Marie, l'immense plaisir qui l'avait submergé et qui la faisait sourire.

Il se demandait si Jeannette lui proposerait de lui masser les reins ou si elle se contenterait d'une toilette sommaire. Il était un peu anxieux quand elle le découvrit et, pendant quelques instants, le sang battit à ses tempes.

Parlant du docteur Jourdan, Anne-Marie avait dit :

— Il m'a regardée et il a compris.

Les joues rouges, il regarda Jeannette, lui aussi, sans se douter que c'était une prière enfantine qu'il mettait dans ses yeux. Sa main saisissait la main de la jeune fille, la guidait.

Elle murmura avec bonne humeur :

— Cela va vous fatiguer.

Il fit non de la tête, car il n'aurait pas pu parler, et, comme elle était assise en travers, au bord du lit, un genou découvert, il lui fourra brusquement la main sous la jupe.

-:-

Elle le savait déjà en arrivant. Elle lui lança :

— Alors, mon petit monsieur Maurice ?

Il était content. On aurait dit qu'elle comprenait ce que cela signifiait pour lui.

— Qu'est-ce qu'elle vous a raconté ?

— Tout, je suppose.

— Elle n'était pas fâchée ?

— Elle a bien voulu, non ?

— Avouez que vous lui aviez parlé.

— Oui.

— Pourquoi ?

— Je ne sais pas.

— C'était tellement étonnant ?

— Oui et non.

— Qu'est-ce qu'il y avait d'étonnant ?

— Vous.

Elle se débarrassait de son manteau, commençait à installer ses petites affaires à leur place.

— Je me demandais si vous oseriez.

— Avec Jeannette ?

— Oui. Elle se le demandait aussi.

Il sentait qu'on s'amusait de lui, mais cela ne l'offensait pas.

— Vous vous confiez d'habitude ces choses-là ?

— La plupart du temps. Pas tout.

— Pas quoi, par exemple ?

— Pas nécessairement ce qu'on pense.

Il avait hâte qu'elle soit en uniforme.

— L'infirmière-major m'a donné la permission de m'asseoir au bord du lit.

— Je sais. Et même de faire quelques pas. Je l'ai vu sur la fiche.

— Je n'ai pas voulu commencer hier.

— C'est gentil.

— J'ai beaucoup de nouvelles à vous apprendre.

— Il faut d'abord que j'aille chercher votre petit déjeuner.

Elle n'était pas distante, ni froide. Elle n'était pas changée. On sentait cependant qu'elle avait respiré un autre air et que la chambre, pour vingt-quatre heures, avait cessé d'être son univers.

Il remarqua qu'elle apportait pour elle une grande cafetière qui contenait au moins quatre tasses et elle surprit son regard.

— J'en ai besoin. J'ai la gueule de bois. Il vaut mieux que je ne me penche pas trop ce matin, car je serais prise de vertige.

— A quelle heure êtes-vous rentrée ?

— Quatre heures du matin.

— Vous n'avez pas dormi ?

— Je ne me suis pas couchée. Je suis restée une heure dans mon bain.

Leur voix n'avait pas encore la même résonance que les autres jours. Ils parlaient avec l'air de se chercher.

— Avant tout, je voudrais vous demander d'aller m'acheter des pyjamas, une robe de chambre et des pantoufles. Cela ne vous ennuie pas ?

— Il y a une chemiserie au coin de la rue de la Pompe.

— Vous trouverez un chèque dans mon portefeuille. Il faudra que vous preniez un taxi pour le toucher aux Champs-Elysées. Je vais le signer.

Elle jeta un coup d'œil au chèque, sans s'en cacher.

— M. Lacroix-Gibet est venu ?

— Pas lui. Un représentant de la compagnie d'assurances. J'ai mal fait ?

— Vous auriez pu obtenir davantage, mais cela n'a pas d'importance. Du moment que vous êtes satisfait.

Elle se rhabilla, chargea une autre infirmière de répondre en cas d'appel, et Dudon avait des projets plein la tête. Il commençait à s'exciter. Il avait bien un peu peur d'aller trop vite, mais c'était le même genre de peur que la veille avec Jeannette, et cela lui avait réussi de ne pas en tenir compte.

Pour la première fois, alors qu'Anne-Marie était absente, le téléphone, dont il ne s'était pas encore servi, sonna à la tête de son lit et une voix de femme prononça :

— M. Félicien Mallard demande s'il peut parler à M. Dudon.

— Il est en bas ?

— Il est sur la ligne. Je vous le passe ?

— Allô ! C'est vous, monsieur Maurice ? J'ai remarqué qu'il y avait le téléphone dans votre chambre et je vous appelle pour savoir si je peux vous voir cet après-midi.

Dudon lui donna rendez-vous pour quatre heures. Il en finirait. Mallard s'était-il aperçu, en jetant un coup d'œil aux livres, d'un écart de deux mille francs ? C'était possible. Il y avait quelque chose de différent dans sa voix, mais cela tenait peut-être à ce que Dudon n'avait pas l'habitude de l'entendre au téléphone.

Anne-Marie revint avec un grand carton. Il nota que son haleine sentait l'alcool. Elle posa une liasse de billets de mille francs sur la table. Il n'y avait aucun reproche dans la voix de Dudon quand il lui demanda :

— Vous avez bu ?

— C'était le seul moyen de me remettre d'aplomb. Dans le taxi, la tête me tournait. Vous ne regardez pas mes achats ?

La robe de chambre était en cheviote bleu marine, avec un liséré d'un bleu pâle, et les pyjamas, marqués d'un M, étaient bleu clair aussi.

— Cela vous plaît ?

Elle les lui essaya tout de suite, mais, quand il eut revêtu la robe de chambre et que, soutenu par Anne-Marie, il essaya de se tenir debout près de son lit, il tendit les bras pour se retenir, car la chambre tournait autour de lui et il pensa qu'il perdait connaissance.

Il en fut peiné. Il s'était cru plus fort.

— Cela arrive toujours la première fois. Après midi, vous ferez cinq minutes d'exercice et demain tout ira bien.

Elle le recoucha, accrocha la robe de chambre au portemanteau.

— Anne-Marie ! appela-t-il, comme si cela ne pouvait plus attendre.

— Oui ?

— J'ai beaucoup pensé.
— Je sais.
— J'ai de grands projets.
— Je sais cela aussi.
— Vous devinez lesquels ?
— Je crois.

Il aurait mieux valu attendre un moment plus favorable, mais il était trop tard, il en avait déjà trop dit. Elle était occupée à retirer les étiquettes et les épingles de la demi-douzaine de pyjamas qu'elle rangeait au fur et à mesure dans l'armoire. Les billets de banque étaient toujours sur la table, à côté du vieux portefeuille.

— Vous acceptez de m'épouser ?

Elle leva la tête, surprise. Il n'y avait vraiment rien d'autre que de la surprise sur son visage. Ce n'était donc pas à cela qu'elle s'attendait ?

— Qu'est-ce que vous avez dit ?
— J'ai dit : m'épouser.

Elle essaya de rire. Son rire sonna faux et elle évita de le regarder.

— Quelle drôle d'idée !
— Pourquoi est-ce une drôle d'idée ?
— Parce que ! Je ne sais pas ! Parce que ce n'est pas nécessaire !

Et, sans rien ajouter, elle pénétra dans la salle de bains dont elle referma la porte.

Lorsqu'elle en sortit, elle avait son sourire de tous les jours et ses yeux riaient comme d'habitude.

— Alors ? questionna-t-il.

Elle joua à faire semblant de ne pas comprendre.

— Alors quoi ?
— La réponse.
— A quoi ?
— A la question que je vous ai posée.
— Chut !... Je vais chercher votre déjeuner. Nous avons tout le temps de parler de ça.

-:-

Cette fois-ci, il n'avait pas de pardessus et il était passé chez le coiffeur ; on voyait encore des traces de talc près du lobe de l'oreille. Est-ce par instinct qu'Anne-Marie les avait laissés seuls ?

Il posa son chapeau sur la table et s'assit, l'air grave, remarqua le pyjama neuf, n'en dit rien, commença avec embarras :

— Ce matin, avant de vous appeler, j'ai pu avoir le docteur Jourdan au bout du fil, et ce qu'il m'a dit de votre état m'a encouragé à cette démarche. Je ne voudrais pas, monsieur Maurice, que vous croyiez que je ne pense qu'à mes intérêts. Vous êtes le seul à connaître mes affaires et vous avez donc une idée de l'embarras où nous sommes. Vous avez plusieurs semaines de convalescence devant vous. Cela peut paraître égoïste de vous les gâcher...

Il avait répété son discours en chemin, mais il en perdait le fil.

— Voilà ! D'après le docteur, vous pourriez, sans que cela nuise à votre santé, nous donner une heure de temps en temps. Un des employés viendrait ici pour que vous l'aidiez à mettre les livres à jour. On s'en tiendrait au plus urgent, bien entendu, et j'ai pensé que le petit Bellini...

Dudon se trompait-il en pensant que Mallard disait cela sans conviction, sans espoir ?

C'était un mauvais moment à passer. Anne-Marie attendait dans le couloir. Tout à l'heure, dans quelques minutes, leur vie reprendrait, et elle n'avait pas dit non.

Cela l'ennuya que sa voix fût aussi sèche, mais il n'y pouvait rien.

— Je suis désolé de vous décevoir, monsieur Mallard. Quand vous m'avez téléphoné, ce matin, j'allais justement écrire ma lettre de démission.

Mallard ne dit rien, le regard toujours fixé sur le pyjama bleu lavande.

— Le hasard fait qu'on m'a offert une situation de beaucoup plus importante, et vous ne m'en voudrez pas de songer à mon avenir.

Ce fut Dudon qui détourna la tête. Félicien Mallard n'avait pas l'air fâché, mais triste, et même sa tristesse avait quelque chose de gauche, de compassé.

Il se levait, ouvrait sa bouche, sa moustache un peu frémissante.

— Je...

Dudon attendait, les lèvres sèches. Il savait maintenant que Mallard savait, qu'il hésitait à parler, qu'un combat se livrait en lui. Au prix d'un grand effort, il parvint à le regarder d'un œil calme, trop calme, qui devait passer pour arrogant.

— Vous alliez dire ?

Mallard alla chercher son chapeau, en refit deux ou trois fois la fente.

— Rien, monsieur Dudon. Je comprends. Je m'y attendais.

— Quelqu'un vous a mis au courant ?

Il ne répondit pas, se tourna vers la porte et ouvrit la bouche une fois encore. Les mots qui lui brûlaient la langue ne furent pas prononcés. C'était lui qui avait l'air d'un coupable et tenait les épaules basses.

— Je vous souhaite bonne chance. Nous vous aimions bien, ma femme et moi. Françoise aussi.

Il s'arrêta une dernière fois, la main sur le bouton de la porte qu'il tourna enfin et, dans son trouble, bouscula Anne-Marie sans la saluer ni s'excuser.

Quand ils furent seuls, elle ne lui posa pas de question. Il avait fermé les yeux, et, à travers ses paupières, il devinait les raies de soleil ; il entendait ses pas feutrés, le bruit léger des objets qu'elle changeait de place, exprès, sans doute, pour ne pas laisser s'appesantir l'immobilité et le silence.

A certain moment, elle crut apercevoir au bout de ses cils le reflet d'une larme ; elle faillit s'approcher de lui, changea d'avis, continua à mettre de l'ordre comme si rien n'était.

Il s'écoula bien dix minutes avant qu'elle entendît une voix joyeuse prononcer derrière son dos :

— Mallard est liquidé.

— Oui ?

— Vous ne me demandez pas comment cela s'est passé ?

— Cela a été dur ?

— J'ai cru qu'il allait pleurer.

Elle ne fit pas allusion à la larme qu'elle avait surprise et il conclut légèrement :

— Ce sont des tristes, qui ne pensent qu'au péché !

DEUXIÈME PARTIE

1

POUR le personnel de l'avenue de l'Opéra, il n'y avait ni Pierre Gibet ni Philippe Lacroix-Gibet. Il y avait M. Pierre et M. Philippe. On pouvait presque dire qu'on appartenait à l'un ou l'autre de ces messieurs, qu'on était de l'un ou de l'autre clan, et chaque clan avait un esprit différent qui se marquait dans la façon d'être, dans l'habillement.

Si, tout au début, M. Pierre regarda Dudon avec une certaine réserve, c'est probablement parce qu'il avait été introduit dans la maison par son beau-frère. Or, s'occupant de comptabilité, Dudon entrait d'office dans le clan de M. Pierre, à qui incombait la partie financière de l'affaire.

De l'autre côté du palier, on était volontiers bruyant, presque bohème. C'est là qu'on recevait les gros viticulteurs et les acheteurs de province, les dessinateurs d'affiches, les agents de publicité et même les actrices qui posaient pour les albums Gibet, et il existait quelque part un petit salon rouge qu'on appelait le salon de dégustation.

M. Pierre était un homme de soixante-cinq ans, qui avait gardé la minceur et la souplesse d'un champion de tennis. Sa peau était très blanche, ses cheveux d'un gris uni, et il avait un soin méticuleux de sa personne. C'en était une manie ; il n'y avait jamais un grain de poussière sur ses chaussures ni un faux pli à ses complets presque toujours dans les tons gris.

Il parut surpris quand il vit pour la première fois Maurice Dudon dans son vaste bureau aux murs recouverts de boiseries et il le questionna pendant près d'une heure, avec une cordialité distante.

Un mois plus tard, il n'ignorait plus que le hasard lui avait fourni un collaborateur de choix, et Dudon, de son côté, avait rencontré un des rares hommes qu'il aurait probablement voulu être.

M. Pierre vivait avec sa femme dans un double appartement de l'avenue Foch, à deux pas du bois de Boulogne. Il possédait, en Sologne, un château où il passait les week-ends à la saison de la chasse et une propriété à Aix-les-Bains, en bordure du lac du Bourget.

Chaque matin, à neuf heures précises, il pénétrait d'un pas alerte dans son bureau et ce n'était pas par sentiment du devoir, ni pour donner l'exemple, probablement non plus par cupidité. Dudon, qui ne savait à peu près rien de l'existence qu'il menait le soir et le dimanche, était convaincu que, pour M. Pierre, seules comptaient réellement les heures passées avenue de l'Opéra.

M. Philippe remuait plus d'air et se partageait entre des activités multiples. Dudon, pourtant, n'avait pas hésité, après un seul coup d'œil, à le placer dans la catégorie des mous, et Anne-Marie, qui l'avait connu davantage, n'éprouvait pour lui qu'une sympathie condescendante.

M. Pierre, lui, ne donnait aucune prise à la sympathie ou à l'ironie. Il n'avait pas d'enfant. Sa femme, malade depuis des années, ne quittait guère leur appartement qu'à l'époque des vacances. Il avait pour chacun le même sourire quasi automatique qu'il avait adopté une fois pour toutes et qui faisait partie de son personnage au même titre que sa démarche et la coupe étudiée de ses complets.

De l'autre côté du palier, une dizaine de secrétaires et de sténos étaient toutes jolies. Dans le service de M. Pierre, l'élément féminin se réduisait à Mme Baudin, âgée de cinquante ans, et à une demoiselle Materre, qui louchait, et personne ne les appelait par leur prénom.

Dès la première semaine, M. Pierre lui avait demandé, assis à son bureau, comme d'habitude, devant un portrait à l'huile de son père qui occupait tout un panneau :

— Puis-je vous demander si vous êtes marié, monsieur Dudon ?

— Oui, monsieur.

— Fort bien. J'en crois votre parole. Si je vous ai posé cette question, ce n'est pas que j'y attache personnellement de l'importance, mais vous êtes appelé à être en contact avec des gens qui ont des idées arrêtées sur le sujet : s'ils trouvaient quoi que ce soit à critiquer dans votre genre de vie, votre autorité sur eux en serait amoindrie.

— Je vous comprends fort bien.

Il comprit aussi l'autre discours, que M. Pierre lui débita après l'avoir tenu en observation pendant près de trois semaines. La tâche principale de Dudon était de contrôler la comptabilité des gérances, c'est-à-dire des deux cent trente-sept dépôts Gibet de Paris et de banlieue.

— Vous vous êtes peut-être déjà rendu compte de la délicatesse de votre rôle. La plupart du temps, vous avez affaire à de braves gens, souvent à ce qu'on appelle des cas intéressants. Le métier de gérant ne demandant pas de connaissances spéciales, les dépôts les moins importants sont, en principe, réservés à des veuves, presque toujours avec des enfants à leur charge. Ceux qui exigent la présence d'un homme sont confiés à des couples qui n'ont pas d'économies suffisantes pour se mettre à leur compte, à des ménages qui ont subi des revers.

Non seulement Dudon prévoyait la suite, mais les paroles du grand patron correspondaient exactement à sa pensée.

— Ces gens-là, monsieur Dudon, sont rarement de malhonnêtes gens dans l'acception courante du terme. Sur certains points, ils ont plutôt tendance à se faire des scrupules exagérés. Seulement, des quantités d'impondérables viennent à un moment donné compliquer leur existence, une maladie dans la famille, une opération coûteuse, les études des fils ou le mariage d'une fille.

Il ne put s'empêcher d'intervenir :

— Alors, ils trichent.

Il connaissait ce sentiment-là tellement mieux que M. Pierre, qui ne l'avait, lui, découvert que de l'extérieur ! Il avait envie d'ajouter que c'était justement parce qu'ils étaient honnêtes qu'ils trichaient. Il avait fait une première tournée, celle des quartiers les plus populeux, et avait rencontré des gens qu'il lui semblait connaître par cœur pour avoir rencontré leurs semblables quand, jadis, il s'occupait de la comptabilité de petits commerçants.

C'était le même état d'esprit, les mêmes frayeurs, les mêmes problèmes avec lesquels il était en contact quotidien avant l'ascension des Mallard. C'était la mentalité Mallard, aurait-on pu dire. C'étaient tous des Mallard qui n'avaient pas eu la chance de réussir.

— Certains peuvent se payer le luxe de se placer à un point de vue humanitaire. Une entreprise comme la nôtre s'y ruinerait. Voilà ce que je tenais à vous dire et ce que vous ne devez pas perdre de vue. Le jour où une exception est tolérée, où une faute est pardonnée, toute notre organisation est menacée, car nous ne nous trouverons plus que devant des exceptions et personne ne se préoccupera des règles. Un vol est un vol, monsieur Dudon, qu'il s'agisse de quelques francs ou de millions. Les livres doivent être tenus à jour, quoi qu'il advienne, quelles que soient les circonstances familiales ou autres. Que vos gens cessent d'en être persuadés, et il n'y aura plus de livres du tout.

— Oui, monsieur Pierre.

Une fois qu'ils passaient devant un magasin des Champs-Elysées, Anne-Marie lui avait dit en lui désignant un complet à l'étalage :

— Pourquoi ne te fais-tu pas faire un costume dans ce genre-là ?

Comme il ne répondait pas, ce qui lui arrivait assez souvent, elle avait plaisanté :

— Tu as peur de déplaire à M. Pierre ?

Ce n'était pas exact. Il ne s'habillait plus en confection comme quand il travaillait rue de Turbigo. Il avait un bon tailleur, mais il choisissait des vêtements sombres et neutres, comprenant qu'il devait, lui aussi, se créer un personnage.

Jadis, c'était lui qui détournait les yeux quand on le regardait en face, avec toujours une sensation de culpabilité. Maintenant, dès qu'il entrait dans un des dépôts, une certaine angoisse était palpable dans l'air, et ceux qu'il visitait se demandaient s'ils n'avaient rien à se reprocher.

Il ne prenait pas un air redoutable. Au contraire. Depuis l'hôpital, son visage s'était adouci et il flot tait presque toujours sur ses traits un sourire impersonnel qu'il n'avait pas copié sur celui de M. Pierre, mais qui était de la même famille.

Ce qui constituait sa force, c'est qu'il connaissait

bien tout ce petit monde et qu'il mettait d'instinct le doigt sur ses faiblesses.

C'était vrai, en particulier, pour les garanties. Dans cette partie de sa tâche, il déployait un flair spécial et, en moins de deux mois, il avait découvert que la plupart des garanties acceptées par son prédécesseur étaient douteuses ou fictives.

Pour obtenir une gérance, les candidats étaient tenus d'établir qu'ils disposaient d'une certaine somme, variable selon l'importance du dépôt, de façon à couvrir leur responsabilité financière en cas de mauvaise gestion.

Dès le premier dossier qui lui était passé par les mains, celui d'une dame Pernette, il avait deviné le truc.

Elle était veuve d'un officier supérieur, un colonel qui n'avait pas été tué à la guerre, mais était mort d'un cancer à l'estomac. Elle avait deux fils, de douze et quinze ans.

Volubile, elle avait parlé à Dudon de bons de la Défense nationale et d'obligations de la ville de Paris qu'elle offrait de lui montrer, qu'elle lui montra en effet lors de sa seconde visite, mais, quand il lui demanda où et quand ces valeurs avaient été achetées, elle ne put faire que des réponses évasives.

— C'est mon mari qui s'occupait de ces questions, vous comprenez.

— Vous n'avez jamais vendu de bons ou d'obligations ?

— Jamais, monsieur.

— Pourquoi n'en avoir pas vendu pour payer le médecin qui, depuis deux ans, attend encore ?

— Je considère que cet argent appartient à mes fils. A mes yeux, il est sacré.

— Vous êtes sûre que ces valeurs ne vous ont pas été données par une de vos sœurs ?

Sa mère aurait agi exactement comme Mme Pernette.

— Il est possible que ma sœur m'ait aidée. N'est-ce pas naturel, dans la situation où je me trouve ?

Ce n'était pas cruauté de sa part. En tout cas, ce n'était pas de la cruauté vis-à-vis de cette veuve qui ne lui avait rien fait et qui avait voulu lui offrir un verre de liqueur dont elle avait acheté une bouteille à son intention. C'était beaucoup plus important que ça. Cela dépassait même, probablement, les raisons de M. Pierre, si bien qu'il arrivait à Dudon de se sentir sur son chef une certaine supériorité.

— Vous parlez de celle de vos sœurs qui est mariée à un marchand de bois d'Alfortville.

— De Laurence, oui.

— Elle a cinq enfants, n'est-ce pas ?

— Attendez... Oui... cinq...

— Croyez-vous qu'elle et son mari soient disposés à les frustrer d'une partie de leur héritage en votre faveur ?

— *Mais puisque je le lui rendrai !*

Il avait eu toutes les peines du monde à lui faire admettre qu'elle avait triché. Cet argent ne lui appartenait pas, elle était bien forcée de l'avouer. C'était un prêt. Or un prêt ne constituait pas une garantie.

— Je vous jure, monsieur, que ma sœur ne me réclamera jamais ces titres-là. Si vous le désirez, je peux lui demander de me signer un papier.

Ils parlaient tous de signer des papiers.

— Il serait sans valeur légale. Rien ne vous empêcherait, en effet, de signer en même temps une reconnaissance de dette qui l'annulerait.

— *Alors, comment faire ?*

Si elle l'avait osé, elle lui aurait offert une récompense pour l'aider, pour lui donner une idée ou pour fermer les yeux.

— Je ne puis que transmettre votre dossier.

— Vous croyez que si j'allais voir M. Gibet... ?

Certains disaient cela comme une menace et venaient faire antichambre avenue de l'Opéra où, quand il passait, ils le regardaient d'un œil glacé.

Avant de partir en tournée, il ne manquait jamais d'être à son bureau à neuf heures précises et, deux ou trois fois par semaine, M. Pierre le faisait appeler. Il le priait maintenant de s'asseoir, l'observait toujours avec une même curiosité — qui était une curiosité confiante.

— Je crois savoir que vous vous rendez dans les dépôts en métro ou en autobus, et j'apprécie vos raisons d'agir ainsi. Votre temps, toutefois, est devenu assez précieux, monsieur Dudon, pour que vous fassiez, au compte de la maison, les frais d'un taxi.

C'était, sans en avoir l'air, la plus importante des promotions, qui le plaçait d'un seul coup sur le même pied que l'état-major de la maison.

— Il y a d'ailleurs un travail que je pense vous confier dès que vous serez à jour et qu'il ne vous restera plus que la routine. Les représentants de province ont tendance à enfler leurs notes de frais, et le vieil employé qui a depuis des années la charge de les contrôler n'y voit que du feu ou fait preuve de trop d'indulgence.

Il n'avait pas honte d'en parler à Anne-Marie, qui le traitait parfois d'adjudant, toujours en riant.

C'est lui qui avait insisté pour l'épouser.

— Pourquoi, puisqu'on peut vivre ensemble sans ça ?

Il ne s'était pas expliqué. Il aurait peut-être eu de la peine à le faire. Qui sait si ce n'était pas surtout pour se sentir prise sur elle ? Tant qu'ils ne feraient que cohabiter, il n'aurait pas un sentiment de sécurité complète, et, en rentrant le soir, il se demanderait toujours s'il allait la retrouver à la maison.

Elle avait fini par accepter en haussant les épaules,

avait feint de traiter leur mariage à la blague, avait éclaté d'un fou rire en sortant de la mairie du XVIIe arrondissement, et tout cela ne l'empêchait pas d'être assez fière de se trouver madame.

— Tu n'as jamais eu envie de te marier ?

Elle l'avait regardé drôlement.

— Réponds.

— Bien sûr, idiot !

— Pourquoi ?

— Je ne sais pas. Sans doute parce que c'est la première chose dont on parle à une jeune fille.

— Tu ne l'as pourtant pas fait.

— Et si on ne me l'avait jamais proposé ?

Il était revenu plusieurs fois à la charge. C'était sa façon à lui, comme quand ils avaient fait connaissance. Depuis la clinique, il y avait encore des questions qu'ils n'avaient jamais traitées à fond.

— Tu aimais ton travail ?

— Celui-là ou un autre !

— Qu'est-ce que tu aimes ?

— Tu sais ce que tu aimes, toi ? On prend ce qu'on peut, non?

Ce n'étaient pas les paroles d'Anne-Marie qui lui avaient fourni la réponse. Celle-ci était venue petit à petit. Il lui avait fait abandonner son métier, sans quoi il ne l'aurait presque jamais vue. Peut-être n'aurait-il pas été tellement jaloux d'un amant, mais il aurait sûrement souffert de la savoir au chevet d'un malade.

— Il est impossible de ne choisir que des patientes.

— Le plus simple est de ne plus travailler.

— Qu'est-ce que je ferai toute la journée ?

— Ce qu'il te plaira.

C'était dans l'appartement meublé d'Anne-Marie, rue Villaret-de-Joyeuse, qu'ils avaient d'abord décidé de vivre. Un atelier d'artiste servait de chambre et de salon, et ils disposaient, en outre, d'une salle de bains et d'une petite cuisine.

— Tu espères me transformer en bonne femme de ménage ?

— Nous mangerons au restaurant.

Il s'en réjouissait, à cette époque. C'était son genre de vie à elle qu'il avait décidé d'adopter, et il l'avait fait exprès de la conduire rue du Saint-Gothard le jour où il avait donné rendez-vous à un brocanteur pour qu'il le débarrassât de ses meubles.

Il n'avait pas pensé que le logement ferait si mesquin, si désolé. La concierge avait jeté les poissons rouges, et le bocal, sur la table, contenait encore de l'eau croupie qui était devenue verdâtre. Une serviette souillée pendait près de la toilette ; ils retrouvèrent du marc de café moisi dans la cafetière. Le temps était radieux ce jour-là, et, par contraste, le logement n'en paraissait que plus sombre.

— Tu comprends ? avait-il demandé, après en avoir fait le tour en silence avec elle.

— Tu as vécu ici dix-sept ans ?

— Un peu plus.

— Tout seul ? Sans jamais personne pour te rendre visite ?

— Il n'est jamais venu personne.

C'est peut-être en ouvrant le placard aux balais qu'elle avait été le plus impressionnée. Elle dit en soupirant :

— Tout est en ordre.

— Oui.

— Tu le faisais exprès ?

— Quoi ?

— Tout. Il y en a qui deviennent moines et se flagellent pour se punir.

Elle l'avait entraîné, ce soir-là, dans un grand restaurant, sans parvenir à lui faire prendre l'apéritif ni boire du vin à table. Elle avait bu seule. Elle avait besoin de boire. Elle n'avait pas la même voix, après quelques verres. Elle devenait bruyante, familière avec tout le monde et, vers une heure du matin, elle saisissait le bras des gens pour leur annoncer, comme si c'était une nouvelle extraordinaire :

— C'est mon mari !

Elle riait d'un rire excité.

— Il a peur que je raconte des bêtises. J'ai bien le droit de dire que c'est mon mari, non ?

Plus tard, elle lui désigna une jeune femme, au bar.

— Tu vois cette fille-là, Maurice ? Eh bien ! Tu devrais coucher avec elle. Elle a de plus belles fesses que moi, et tu aimes les belles fesses. Mais si. Je le sais. Il n'y a pas de honte à ça. Va le lui demander. Tu veux que ce soit moi qui le fasse ? Je lui dirai :

« Mademoiselle, mon mari a envie de coucher » avec vous parce que vous avez de belles fesses. » Moi, ça m'est égal, car je ne suis pas jalouse. » Vous comprenez ? il est mon mari. »

Peut-être un jour essayerait-il de boire aussi ? Elle avait été malade, cette nuit-là, et il l'avait soignée. Il ne lui en voulait pas. Il était content qu'elle eût été malade, content d'avoir dû la mettre au lit.

— J'ai dit des bêtises, hier ?

— Non.

— Est-ce que je ne voulais pas te faire coucher avec une petite en robe de satin bleu ?

— C'est sans importance.

— Cela t'aurait fait plaisir ?

— Je n'y ai même pas pensé.

— Tu sais, il ne faut pas te gêner. C'est vrai que je ne suis pas jalouse. Je connais les hommes. Tu ne dois pas te cacher pour moi. Tu n'as pas envie de Jeannette non plus ?

Ils la voyaient de temps en temps.

— Non.

— Tu devrais.

— Et si cela ne me tente pas ?

— Cela te changerait. Je n'ai pas peur. Un de ces jours, nous l'inviterons à dîner au restaurant et tu la reconduiras. Elle saura ce que cela signifie.

Elle ne lui en avait pas reparlé, mais il avait trouvé Jeannette avec elle, un soir, à la brasserie où ils s'étaient donné rendez-vous. Au dessert, Anne-Marie avait prétexté un mal de tête et était rentrée à la maison.

— Tu reconduiras Jeannette. Vous avez le temps.

Il l'avait suivie dans un hôtel où elle avait sa chambre, du côté de la rue de Douai.

— Anne-Marie l'a fait exprès, dit-elle en ouvrant sa porte. C'est vous qui le lui avez demandé ?

— C'est elle qui y a pensé.

— Peut-être a-t-elle raison. Peut-être qu'à sa place je ferais la même chose. Je ne crois pas, pourtant.

Il n'en avait pas eu de plaisir. Elle non plus. Ils agissaient sans conviction, et ce n'est que par amour-propre qu'ils étaient allés jusqu'au bout.

Il trouva Anne-Marie qui lisait dans son lit.

— Content ? Jeannette t'a déçu ? Pourtant elle est mieux faite que moi.

Il s'était senti barbouillé, ce soir-là. Pas à cause de Jeannette ni de ce qui s'était passé. Pas à cause d'Anne-Marie non plus. C'était vague. Il regardait le décor qui l'entourait et, Dieu sait pourquoi, alors qu'il n'avait jamais navigué, il avait l'impression d'être dans un bateau.

Anne-Marie dévorait les livres. Elle restait au lit très tard, car elle se recouchait après lui avoir préparé son petit déjeuner. Ils avaient fait le tour de tous les restaurants du quartier et c'est elle qui, un soir, avait proposé :

— Si j'essayais, demain, de nous préparer à dîner ?

Cela l'avait amusée. Le dîner n'était pas bon, mais, deux jours plus tard, elle avait acheté un livre de cuisine et il avait trouvé en rentrant tout un jeu de casseroles neuves.

— J'ai réfléchi, Maurice. J'ignore ce que tu en penseras, mais il y a déjà quelque temps que je veux t'en parler. Tu ne vas pas te moquer de moi ? Promets ?

— Je promets.

— J'ai envie de quitter cet appartement. Cela t'ennuie ?

— Non.

— Attends ! Ce n'est pas pour en reprendre un autre meublé, mais pour être chez nous.

Cela ne constituait-il pas déjà une réponse à la question qu'il lui avait posée ? Cet appartement, elle l'avait trouvé, dans la même rue, deux maisons plus loin.

— Tu crois que nous pouvons nous payer des meubles ?

Il l'avait laissée choisir et elle avait acheté un mobilier rustique. Pendant plus d'un mois, elle avait vécu dans la fièvre, arrangeant, clouant, fixant les rideaux et, pour lui faire plaisir, elle avait installé des stores vénitiens.

— Tu n'aimes pas mieux ceci que l'atelier ?

S'il avait été tout à fait franc, il aurait peut-être répondu non. Il n'était pas sûr. Il n'aimait pas l'atelier non plus. Il ne se sentait pas encore à sa place. Rien n'était parvenu à lui rendre l'intimité de la chambre de la clinique et, s'il l'avait osé, il aurait demandé à Anne-Marie, le soir, ou le dimanche, de mettre sa blouse d'infirmière et sa coiffe blanche.

Les premiers temps, ils étaient sortis beaucoup. Ils sortaient moins, par le fait qu'ils mangeaient chez eux. Ils allaient une ou deux fois par semaine au cinéma ou au théâtre. Le samedi soir, il leur arrivait de prendre le train pour une plage de Normandie, qu'ils choisissaient au petit bonheur dans l'horaire des chemins de fer. Il ne savait pas nager. Il restait sur le sable pendant qu'elle se baignait. Plusieurs fois ils avaient rencontré des hommes qu'elle connaissait, et elle les lui présentait sans embarras.

— Marcel... Au fait, j'ai oublié votre nom de famille... Peu importe... Mon mari.

Cela ne le gênait pas non plus. Ils ne s'étaient jamais parlé d'amour. Ils avaient plutôt l'air, tous les deux, d'une paire de bons camarades.

Anne-Marie avait-elle parfois envie de le tromper ? Il se l'était surtout demandé au début, quand ils sortaient presque tous les soirs et qu'ils voyaient autour d'eux des gens s'amuser bruyamment. Il se disait alors que c'est ainsi qu'elle avait été habituée à vivre et que cet entrain devait lui manquer.

— Tu vois ce couple à la table de gauche, Maurice ?

— Le monsieur aux cheveux grisonnants ?

— Oui. La petite est dactylo quelque part dans le quartier. Il l'a rencontrée à l'apéritif et lui a fait boire trois ou quatre cocktails.

— Comment le sais-tu ?

— Parce que c'est comme ça. Elle n'a pas l'habitude des dîners fins et elle est déjà à moitié ivre. Elle a commandé les plats qu'elle ne mange jamais chez elle. Il lui raconte des histoires croustillantes pour l'exciter et remplit son verre sans qu'elle s'en aperçoive. Tout à l'heure, ils coucheront ensemble.

— Cela t'amuse ?

— Qui ? Elle ? Pendant un mois, elle va avoir une frousse de tous les diables, ce qui ne l'empêchera pas de recommencer.

Il n'avait pas de gros appétits sexuels. Les premières semaines, il s'était forcé, croyant lui faire plaisir. C'est elle qui avait dit un soir, avec l'air de se moquer d'elle et de lui :

— Tu n'as pas sommeil, Maurice ?

— Peut-être un peu.

— Moi aussi. Et même très. Comme toi. Alors, ce n'est pas nécessaire.

Ce qui le touchait, c'est que la nuit, dans son sommeil, elle avait presque toujours un bras autour de lui, comme si, elle aussi, craignait qu'il s'en allât. Le matin, elle était souvent éveillée avant lui et, quand il ouvrait les yeux, il la voyait qui, la tête sur l'oreiller, le regardait pensivement.

— Je suis très laid ?

— Tu n'es pas beau, mais tu n'es pas laid.

— Ma mère m'a toujours répété que j'étais laid et je l'ai crue.

— C'est pour ça que tu avais peur des femmes ?

— Non.

— A cause des maladies ?

— Non plus. Ce n'était pas la raison principale.

— Tu ne voulais pas commettre de péchés ?

Ce n'était pas complètement exact, puisqu'il se rendait rue Choron chaque semaine.

— Je n'avais pas d'amis non plus, dit-il, comme si c'était une explication.

— C'est vrai. En somme, tu étais un solitaire.

M. Pierre, lui aussi, était un solitaire, Dudon l'aurait juré. Il avait un foyer, une femme, des relations, mais cela ne comptait pas pour lui, et sa vraie vie était concentrée entre les murs de son bureau.

Dudon, lui, n'était plus seul. Quand il rentrait, le soir, il n'avait plus besoin de tirer son trousseau de clefs de sa poche, de tourner le commutateur, ni de préparer son repas. Lorsqu'il s'éveillait la nuit, il sentait une chaleur humaine à côté de lui et percevait un souffle régulier.

Il prenait un bain chaque matin et se nettoyait les ongles.

— Tu sais ce que je faisais, avant ?

— Non. Je devine.

— Il m'arrivait de rester sale exprès et de porter le même linge pendant quinze jours.

— Pour économiser le blanchissage ?

Peut-être valait-il mieux qu'elle ne comprenne pas ça. Il gardait les ongles noirs et ne se lavait pas les dents. Le soir, dans son lit, il reniflait avec satisfaction sa propre odeur et cela le rassurait ; souvent sa chambre, non aérée pendant des semaines, sentait si mauvais qu'il en était incommodé.

Certaines bêtes doivent goûter cette volupté-là dans leur tanière.

Puis il était pris soudain d'une sorte de révolte, ou de dégoût, ou du besoin d'être comme les autres, et il courait prendre un bain chaud à l'établissement de la rue Dareau.

C'était Anne-Marie, à présent, qui avait tendance à se laisser aller. Parfois, en rentrant déjeuner, il la trouvait non encore coiffée, avec sur le lit défait du linge qui traînait, un livre sur l'édredon.

— J'ai depuis longtemps envie de te demander quelque chose, Maurice, mais surtout ne te crois pas obligé de dire oui. Si je t'en parle, c'est que j'ai reçu plusieurs lettres de ma sœur.

— Laquelle ?

— Yolande, l'aînée. Remarque que tout ce qu'elle peut écrire m'est égal. Avant de te connaître, je suis restée trois ans sans mettre les pieds à Nantes, et je me moquais de ce qu'ils en pensaient. Quant à Yolande, je n'ai pas de leçons à recevoir d'elle.

— Tu désires que nous allions voir tes parents ?

— Cela ferait plaisir à mon père. Il pourra enfin montrer qu'une de ses filles est vraiment mariée.

Ils y étaient allés. Ils avaient pris le train de nuit,

un samedi soir, en plein mois de juillet, et Anne-Marie avait averti sa famille de son arrivée. Une gamine de seize ans et une jeune fille d'une vingtaine d'années les attendaient sur le quai de la gare.

— Emue ?

— Pas du tout. Regarde, là-bas, près du kiosque à journaux. Ce sont mes sœurs.

La plus jeune, en short, semblait venir d'une plage voisine, et l'autre, en robe blanche, avait les cheveux au vent.

— Monique... Arlette... Mon mari.

Ils prirent un taxi. Les rues étaient vides. Monique, celle en short, assise en face de Dudon, ses genoux nus contre les siens, l'examinait curieusement en s'efforçant de ne pas rire. Elle ressemblait à Anne-Marie, en plus mince, en plus enfantin, tandis que celle de vingt ans avait l'air réservé.

— Comment va papa ?

— Toujours papa.

— Vous n'allez pas à La Baule, cette année ?

— Il paraît qu'on n'a pas d'argent. Il a fallu que j'économise pour m'acheter une bicyclette.

— Et celle de Yolande ?

— Elle ne s'en sert pas, mais elle aimerait mieux la donner à un pauvre que de me la prêter.

— Tu as réellement économisé ?

Elle ne sourcilla pas, ne rougit pas.

— En tout cas, j'ai le vélo.

— Maman ?

— Dans les nuages, comme d'habitude. On a sorti tout le tralala : la grande nappe damassée, le service de Limoges et les verre en cristal. Maman est enfermée dans la cuisine depuis six heures du matin et on attendra qu'elle soit habillée. Je ne devrais pas vendre la mèche, mais vous allez avoir du turbot gratiné. Tu te souviens du turbot gratiné ?

— Je m'en souviens.

— Eh bien ! il n'a pas changé. Vous aimez le turbot gratiné, monsieur ?

— C'est ton beau-frère.

— Je ne le connais pas encore assez pour l'appeler Momo. Vous aimez le turbot au gratin ?

— Je ne me rappelle pas en avoir mangé.

— Vous en mangerez. Vous en mangerez chaque fois que vous viendrez nous voir et qu'on voudra vous faire honneur. Vous en mangerez probablement aussi au mariage de mes sœurs et au mien, si nous décrochons un mari, ce qui n'est pas probable. Et, chaque fois, il sera raté ; chaque fois maman jurera que cela ne lui est jamais arrivé et prendra tout le monde à témoin. N'est-ce pas, Ninie ?

A son étonnement, c'était Anne-Marie qu'elle appelait ainsi et, toute la journée, il entendit ce mot-là dans la maison. Cela lui faisait un curieux effet. Il avait l'impression qu'elle était moins sa femme, qu'elle faisait encore partie de cette bande de filles qui s'agitaient autour d'eux.

Elle le regarda avec une certaine anxiété au moment où son père parut à la porte du salon. C'était un homme grand et mince, qui marchait un peu voûté, mais qui paraissait encore jeune. Il n'était pas à son aise, lui non plus. Il tendit la main avec bonne grâce, mais il était évidemment surpris par l'aspect de son gendre.

Tout le monde l'était. Quand la mère descendit du premier étage, où elle était allée faire toilette, elle eut l'air de recevoir un choc.

— Mon mari, maman.

— Eh bien ! soyez le bienvenu, monsieur.

Il ignorait ce qu'Anne-Marie leur avait écrit sur son compte. Il entendait sans cesse les filles pouffer derrière les portes et on aurait dit qu'un vent de folie avait soufflé sur la maison. Il leur suffisait de le regarder pour être en joie, et c'était si visible que le père proposa en guise de diversion :

— Si nous allions faire le tour du jardin ?

Car il y avait un jardin, si petit qu'on continuait à entendre les voix de l'intérieur.

— C'est la première fois que vous venez à Nantes ?

— La première fois, oui.

— Vous êtes né à Paris ?

— A Saintes.

— Vous êtes dans les affaires, à ce que ma fille m'a dit ?

— Je fais partie des établissements Gibet.

Heureusement que leur train était à cinq heures de l'après-midi. Au moment du fameux turbot, Dudon avait senti un pied se poser sur le sien, tandis que la gamine le regardait fixement dans l'espoir de lui faire perdre son sérieux.

— Vous n'avez pas de chance, cher monsieur. car, pour la première fois, mon turbot...

La plus surprise était encore Anne-Marie. Au début, elle lui avait lancé des coups d'œil inquiets. Maintenant qu'elle voyait comment il se comportait, elle se contentait de l'encourager du regard.

— J'ai cinq filles, monsieur Dudon. Vous devinerez que je n'ai pas grand-chose à dire dans la maison. J'ai fait de mon mieux. Je continuerai à faire de mon mieux...

Pauvre homme ! Il ne savait pas dans quelles circonstances sa fille et son gendre s'étaient rencontrés, et cela devait l'inquiéter. Quant à l'aînée, Yolande, à part bonjour et au revoir, elle ne lui adressa pas un mot et ne se mêla pas à l'effervescence générale. Elle était très belle, mais ses traits trop réguliers lui donnaient un air dur. A certain moment, elle attira Anne-Marie dans sa chambre, où elles restèrent enfermées pendant une demi-heure et où on entendit des bruits de dispute.

La journée avait été étouffante. Le soleil était lourd et la maison n'était pas grande. Le vacarme, la chaleur, la nourriture et la surexcitation finissaient par donner le même vertige que les bruits et les odeurs d'un champ de foire.

Quand, une fois dans le train, ils purent enfin se regarder, ils avaient l'impression de descendre des montagnes russes. Anne-Marie, le visage bouffi de fatigue, faisait une moue comme pour lui demander pardon et, ainsi, ressemblait davantage à sa plus jeune sœur.

— Cela a été terrible ?

Il répondit simplement :

— Je suis content.

— Tu n'es pas éreinté ?

— J'ai mal à la tête. Cela ne fait rien.

— Que penses-tu de ma famille ?

— Ils sont charmants.

— Ne te moque pas de moi. Tu t'es montré très chic. Papa me l'a dit en partant. Il en était un peu soufflé, à la fin. Qu'est-ce que tu as ?

Le train venait de se mettre en marche d'une secousse et il avait porté la main à sa tempe.

— Rien. Une petite douleur ici. Elle va passer.

Le compartiment était plein. Il leur était impossible de se parler. De temps en temps, quand il y avait un choc, Dudon fronçait les sourcils et elle le regardait avec inquiétude.

2

Il était dans son bureau, vers onze heures, quand le téléphone intérieur sonna, et aussitôt, sans l'intermédiaire d'une secrétaire, ce fut la voix de M. Philippe.

— Vous n'êtes pas trop occupé, monsieur Dudon ? Voulez-vous passer me voir un instant ?

M. Pierre était à Aix-les-Bains depuis deux semaines et une grande partie du personnel prenait ses vacances. Il en partait et il en revenait presque chaque jour ; les bureaux avaient l'air d'autant plus vides qu'on laissait la plupart des portes ouvertes pour établir un courant d'air.

M. Philippe, lui, faisait la navette avec Deauville, où il avait installé sa famille, et ne passait à Paris que deux ou trois jours par semaine. Il s'avança à la rencontre de Dudon, à qui il serra la main en le regardant avec attention.

— Entrez donc, monsieur Dudon. Asseyez-vous. Cigarette ? C'est vrai, j'oublie toujours que vous ne fumez pas.

Afin de marquer qu'il ne s'agissait pas d'un entretien d'affaires, il ne s'installait pas à son bureau, mais sur le bras d'un fauteuil, près de la fenêtre qui s'ouvrait sur l'avenue de l'Opéra.

— Savez-vous que je commence à me reprocher de vous avoir mis entre les mains de mon beau-frère ? Je ne vous trouve pas aussi bonne mine que je le voudrais. Je suis sûr que vous travaillez trop. Je ne vous reproche évidemment pas d'avoir pris votre tâche à cœur, mais peut-être perdez-vous de vue que le docteur Jourdan vous a recommandé de vous ménager pendant plusieurs mois.

Il avait déjà compris.

— Ma femme est venue vous voir ?

Il avait failli dire Anne-Marie, puisque Lacroix-Gibet l'appelait ainsi, lui aussi. D'ailleurs, il s'habituait mal à dire ma femme.

— Elle m'a téléphoné, je préfère vous l'avouer, car je sais qu'on ne peut rien vous cacher. Il paraît que, depuis deux ou trois semaines, vous ressentez à nouveau des douleurs et que vous refusez de voir le médecin. J'ai appelé celui-ci au bout du fil. C'est presque une conspiration, n'est-ce pas ? N'oubliez pas que je me considère un peu comme responsable de vous, non sans raison. Jourdan n'est pas inquiet. Il tient cependant à vous voir. Il part en vacances demain matin et vous a réservé un rendez-vous chez lui, cet après-midi. Vous avez son adresse ?

Il alla l'écrire sur une feuille de bloc-notes : 32, rue Balzac.

— Il vous attendra à trois heures. Je serai ici jusqu'à six heures, et cela me ferait plaisir de bavarder avec vous à votre retour.

Il affectait de traiter la chose légèrement, et Dudon n'en était que plus troublé. Il avait fait de son mieux, pourtant, afin de rassurer Anne-Marie. Il n'était pas vraiment mal pourtant. Il lui arrivait seulement, à certains moments de la journée, d'avoir dans la tête une vive douleur qui parfois s'accompagnait de vertige. Un matin, il avait dû arrêter son taxi pendant plusieurs minutes au bord du trottoir parce qu'il se sentait aspiré en avant, comme dans l'ambulance qui l'avait transporté à la clinique.

Cela ne l'avait pris que deux ou trois fois chez lui, mais Anne-Marie était prompte à déceler la moindre altération de son visage, le plus léger signe de fatigue.

— Tu devrais consulter le docteur Jourdan.

— Il m'a prévenu que cela m'arriverait de temps en temps.

Il s'efforçait d'être naturel, mais il avait maintenant la preuve qu'elle n'avait pas été dupe. A la vérité, depuis son retour de Nantes, il vivait dans la peur. Il ne voulait à aucun prix être malade, et moins que jamais à présent que M. Pierre était absent. Il se sentait menacé, n'était pas loin de croire qu'on allait profiter de son état pour se défaire de lui.

— Je me suis permis de répondre à Jourdan que vous y seriez. Je compte sur vous ?

Il vint lui donner une tape sur l'épaule.

— Heureux, monsieur Dudon ?

— Oui, monsieur Philippe.

— Vous ne me gardez pas trop rancune de vous avoir renversé.

— Je ne vous en ai jamais voulu.

Même dans les bureaux, il régnait un air de vacances, surtout de ce côté-ci du palier, où les dactylos ne se gênaient pas pour bavarder à voix haute dans la pièce voisine. Le vacarme de l'avenue de l'Opéra pénétrait par les fenêtres ouvertes et on voyait des femmes en robe claire passer sur le trottoir d'en face, des hommes se promenaient avec leur veston sur le bras. M. Philippe était de bonne humeur. Il fumait comme d'habitude une cigarette à bout de liège dont il faisait revenir la fumée par le nez.

— Avouez que, ce soir-là, vous avez vu quelque chose.

— Je ne sais pas à quoi vous faites allusion.

— Allons donc ! vous vous êtes montré discret et je vous suis reconnaissant, croyez-le. Entre nous, je peux vous confier maintenant que je me suis trouvé dans une situation plus qu'embarrassante. Je vous parle en ami. Vous faites partie de la maison et vous avez pu vous rendre compte que je n'ai pas exagéré en prétendant qu'elle est une grande famille. Il y avait une femme avec moi, par le plus grand des hasards, en tout bien tout honneur (il ne pouvait empêcher son sourire de démentir ses paroles), et il se fait que c'était la femme d'un diplomate très en vue, qui vient heureusement d'être nommé dans un autre pays. Vous l'avez vue.

Il dit simplement :

— Elle portait un chapeau blanc.

— C'est exact. Et une voilette blanche. J'ignore pourquoi j'ai eu la conviction que vous l'aviez vue, et je me demandais si vous l'aviez reconnue, car sa photographie a paru dans les journaux et les magazines.

— Je ne l'ai pas reconnue.

— Cela ne fait pas de différence, puisque vous avez été discret. Aujourd'hui qu'elle et son mari sont loin, cela n'a plus d'importance. A ce moment-là, cela aurait déclenché un scandale qui aurait pu avoir de graves conséquences. Je tenais à vous en parler et à vous répéter que j'apprécie votre attitude.

Il tendit une main large ouverte.

— A ce soir, monsieur Dudon. N'oubliez pas le docteur Jourdan. Trois heures !

C'était un des jours où Maurice ne rentrait pas déjeuner parce qu'il liquidait du travail de bureau et qu'il ne prenait qu'une demi-heure pour manger dans un petit restaurant de la rue d'Antin. Anne-Marie l'appela au téléphone un peu avant midi. Cela lui arrivait rarement.

— Comment vas-tu ?

— Très bien.

— Tu es content ? Rien de nouveau au bureau ?

Elle se demandait si M. Philippe lui avait parlé.

— On m'a fait la commission, répondit-il avec mauvaise humeur.

— Tu m'en veux ? C'était le seul moyen de te décider. Tu iras ?

— Oui.

— Surtout, Maurice, n'hésite pas à lui expliquer exactement ce que tu ressens, y compris ce que tu me caches. Allô !...

— Oui.

— On dirait que tu es fâché.

— Non.

— Tu vas déjeuner tout de suite ?

— Dans vingt minutes.

— Tu n'aimerais pas que je saute dans un taxi pour aller déjeuner avec toi ?

— Non. J'ai très peu de temps.

— Comme tu voudras. Tu rentres ce soir comme d'habitude ?

Pourquoi prononça-t-il avec amertume :

— A moins que le docteur décide de me garder !

— Tu es fou ? Ecoute, Maurice, il faut que tu me promettes de ne pas avoir d'idées pareilles. Tu penses ce que tu viens de dire ?

— Non.

— Tu le jures ?

C'était idiot. A quoi cela rimait-il de jurer ? Sur quoi ?

— Je le jure.

Ils avaient eu tort tous les trois, Anne-Marie, M. Philippe et le médecin. Ce n'est pas ainsi qu'ils auraient dû s'y prendre. Ils obtenaient un résultat opposé à celui qu'ils visaient.

Il mangea seul dans son coin. Il lui arrivait maintenant, au moment de faire un mouvement, comme d'accrocher son chapeau à la patère, d'interrompre son geste pour le continuer au ralenti, avec précaution. Jusqu'à deux heures, il n'y eut que lui dans les bureaux déserts où flottait l'odeur de la ville surchauffée et de la poussière des trottoirs.

Il avait des quantités de dossiers à mettre au point, et cela lui manquait de ne pouvoir en parler à M. Pierre.

Les autres ne s'intéressaient pas à son travail. Peut-être étaient-ils tentés, comme Anne-Marie l'avait fait en plaisantant, de le traiter d'adjudant. Ils le regardaient d'un mauvais œil, incapables de comprendre l'importance de la tâche à laquelle il s'était attelé et qui, en réalité, dépassait le cadre de la maison Gibet.

La dernière affaire qu'il avait découverte, par exemple ! N'importe qui d'autre que lui n'y aurait vu que du feu. Justin Béchère était un des gérants titulaires des meilleurs dossiers. Son dépôt, rue du Faubourg-Saint-Antoine, était de première importance.

Il avait travaillé longtemps à la Halle aux vins et n'avait quitté son emploi que pour raison de santé. On parlait de bronchite. La vérité, c'est qu'il était tuberculeux, cela se voyait à ses joues creuses, à ses pommettes trop roses, à ses yeux fiévreux.

Sa femme, une petite boulotte, travaillait sans répit, toujours de bonne humeur. C'était le genre de ménage qui donne confiance.

Or quand il était entré dans leur magasin, un

matin, vers dix heures, alors que Mme Béchère servait une cliente, il avait compris que son apparition lui causait un choc. Il était déjà passé la semaine précédente. Normalement, il n'aurait dû revenir que dans un mois.

— Justin ! Justin ! avait-elle crié en se tournant vers la porte ouverte derrière elle. C'est M. Dudon !

Il avait attendu. Un long moment s'était passé, on avait entendu enfin des pas traverser la cuisine, comme sur la pointe des pieds, puis le bruit d'un robinet auquel quelqu'un se lave les mains.

— Excusez-moi, monsieur Dudon. J'étais en train de faire quelques rangements là-bas derrière.

Justin Béchère était anxieux, lui aussi. Sa femme et lui se regardaient.

— J'espère qu'il n'y avait rien de mal dans les comptes ? Je fais de mon mieux. Je n'ai jamais été fort en calcul et c'est mon fils qui est obligé de m'aider.

— Je suis entré en passant, pour voir si tout allait bien et si la clientèle est contente du nouveau chablis.

Il ne lui fallut qu'un quart d'heure pour découvrir le pot aux roses. Il allait et venait dans la boutique, et il avait surpris un coup d'œil de Mme Béchère aux pieds de son mari, comme si elle lui conseillait d'aller changer de chaussures. Les semelles étaient humides et laissaient des traces sur le plancher. Il n'avait pas plu depuis huit jours. En outre, Justin ne venait pas du dehors et il était peu probable qu'il ait été surpris faisant la lessive.

Il y avait d'autres indices.

La femme avait crié très fort pour l'appeler, d'abord.

Le mari avait gagné la cuisine sur la pointe des pieds et s'y était lavé les mains.

Ses souliers étaient mouillés.

Dudon allait de casier en casier, caressant les capsules de différentes couleurs qui coiffaient les bouteilles, posant des questions anodines sur la vente de tel ou tel vin et, quand il arriva au fond de la boutique, près du comptoir, il vit les mains de Mme Béchère qui tripotaient nerveusement son tablier, tandis que Justin était pris d'une quinte de toux.

— Comment se fait-il qu'on vous ait envoyé des bouteilles qui n'ont pas les capsules de la maison ? Vous l'avez fait remarquer au livreur ?

Les étiquettes étaient bien marquées « Dépôt Gibet », avec la mention « Bordeaux Supérieur », mais les capsules bleues n'étaient pas estampillées « D. G. » comme elles auraient dû l'être.

Comme pour prendre des notes, il avait tiré un calepin de sa poche, ce qui lui donnait l'aspect d'un policier.

— Voulez-vous m'envelopper une de ces bouteilles, monsieur Béchère, et me rechercher la date à laquelle elles vous ont été livrées ? Il est indispensable qu'on retrouve d'où vient l'erreur.

M. Pierre s'y serait peut-être laissé prendre. Lui pas.

— Vous avez une cave ?

— C'est-à-dire qu'il existe une sorte de réduit qui donne sur la cour et qui est de quelques marches en contrebas.

— Peut-être, avant d'enquêter au magasin général, ferais-je bien d'y jeter un coup d'œil ?

— Ecoutez, monsieur Dudon...

— Allons d'abord à la cave.

— Je vous supplie de m'écouter un instant.

C'était la femme qui parlait et, comme un client entrait, elle entraîna Dudon dans la cuisine, où il y avait une toile cirée à carreaux bruns sur la table et où un lapin mijotait sur le gaz. Elle parlait bas, pendant que son mari servait dans la boutique.

— Depuis quelques semaines, il va beaucoup plus mal. Il ne le sait pas, mais le docteur affirme qu'il n'en a plus pour longtemps. Je ne peux pas vous empêcher de descendre dans la cave. Vous y trouverez un fût de deux cent vingt litres, c'est vrai. Mais ce n'est pas sa faute à lui. Ce serait plutôt la mienne. Mon beau-frère, le mari de ma sœur, qui possède une vigne dans le Médoc, m'a envoyé ce vin. Nous aurions pu le boire. Cela fait du tort à mon mari. Moi, je n'y tiens pas. Il suit un traitement très cher et les études du garçon coûtent les yeux de la tête, sans parler des vêtements. J'ai pensé que cela ne ferait de mal à personne si nous revendions ce vin. Comme nous n'avons pas le droit d'avoir autre chose que des vins Gibet dans le magasin, j'ai eu l'idée de nous servir des bouteilles vides qu'on nous rapporte.

Elle pleurait, utilisait un coin de son tablier en guise de mouchoir.

— Quelle différence cela fait-il pour ces messieurs qui sont si riches ? Je suis sûre que vous comprenez, vous, monsieur Dudon, car vous êtes un homme comme nous, sauf que vous avez de l'instruction. Laisse-nous, Justin. Reste dans le magasin. Il vaut mieux que ce soit moi qui parle à Monsieur. Tu vas encore te mettre dans tous tes états.

— Vous avez gardé les congés de la régie ?

Elle ne réfléchit pas. Ces gens-là inventent les histoires les plus compliquées, mais ne pensent jamais au petit détail révélateur. Elle ouvrit un tiroir du buffet de cuisine où il y avait de tout, de vieilles lettres, des photographies, des bouts de ficelle et des prospectus, des notes de gaz et des polices d'assurances. Un portefeuille s'y trouvait aussi, trop grand pour être mis dans une poche.

Elle cherchait fébrilement et, quand elle mit la main sur un papier jaune, elle ne soupçonna pas que c'était leur perte.

Elle souriait, au contraire. Elle était presque sûre d'avoir gagné la partie.

— Nous en avons soutiré à peine la moitié. Et encore mon fils en a-t-il bu une partie. Je vous montrerai ce qu'il en reste...

— Ce congé est daté d'il y a deux ans. Cela ne doit pas être le bon. Vous n'en avez pas d'autre ?

Elle en trouva trois, quatre, cinq, qui tous portaient le même nom d'expéditeur. Elle comprit enfin et le sang se porta à ses oreilles.

— Probablement en découvrirez-vous d'autres encore, madame Béchère, de tout façon la régie de Saint-Meximin en possède les talons. Je reviendrai.

Le trafic durait depuis deux ans au moins, probablement depuis plus longtemps, car on devait bien parfois vider le trop-plein du tiroir.

Il n'avait pas encore la réponse de Saint-Meximin. Il ne tarderait pas à la recevoir. Personne ne savait rien de cette affaire-là au bureau, pas même M. Pierre.

Il n'avait pas le droit d'être malade. Si Anne-Marie n'avait pas téléphoné à M. Philippe, il n'aurait pas été obligé de voir le médecin et ses malaises auraient fini par passer.

Il prit un taxi pour se rendre rue Balzac. C'était un bel immeuble, avec une porte en fer forgé doublée d'une vitre. Le vestibule était en marbre et le concierge portait un uniforme bleu de roi.

— Troisième étage.

— A gauche ou à droite ?

C'était une faute. Ici, il n'y avait pas de locataire à gauche ou à droite, les gens occupaient l'étage entier. Une femme de chambre vint lui ouvrir. Il y avait des malles et des clubs de golf dans l'entrée, ainsi que quatre ou cinq raquettes dans leur gaine. On entendait une voix d'enfant.

— Le docteur est à vous tout de suite.

Dans le salon où on le fit attendre, il vit, sur le piano à queue, la photographie d'une jeune femme blonde, celles des enfants, et des peintures modernes mettaient des taches vives sur le blanc des murs.

— Vous voulez me suivre, monsieur Dudon ?

Il tressaillit, car il regardait du côté opposé et n'avait pas entendu le docteur entrer. Jourdan était en manches de chemise, sans cravate, et son pantalon était en flanelle grise.

— En principe, je suis en vacances depuis midi, mais j'ai tenu à vous voir. Entrez donc dans mon cabinet.

Il le fit asseoir en pleine lumière et se mit à le regarder attentivement dans les yeux.

— Vertiges ?

— Quelquefois.

— S'accompagnant de douleurs aiguës ?

— Cela commence généralement par une douleur. Je vais essayer de vous expliquer. Je fais un mouvement, pas plus violent que les autres, et j'ai tout à coup l'impression que quelque chose se déplace sous mon crâne.

— Vous ne voyez pas de points noirs ?

— Je n'ai pas remarqué.

Il braqua un projecteur sur ses yeux et Dudon en sentit la chaleur cuire sa peau.

— Vous avez beaucoup travaillé, ces derniers temps, me dit-on ?

— J'ai travaillé.

— N'y avez-vous pas mis un certain acharnement?

— On vous l'a dit ?

Il n'aimait pas le mot acharnement. C'est M. Philippe qui avait dû le prononcer, ce qui laissait supposer que, de l'autre côté du palier, avenue de l'Opéra, on parlait beaucoup de lui. Qu'est-ce qu'ils entendaient par acharnement ? Est-ce que ce mot ne comportait pas un sens péjoratif ?

— On m'a dit simplement que vous preniez votre besogne très à cœur.

Encore un mot qui le faisait tiquer, venant d'où il venait. Cela n'avait-il pas un petit air de famille avec l'adjudant d'Anne-Marie ?

Pourquoi M. Philippe s'était-il montré si familier avec lui, ce matin-là ? Sans raison, il lui avait parlé, comme à un égal, comme à un ami, de la dame au chapeau blanc, et pour un peu il lui aurait fait des confidences.

— Je ne me sens pas du tout fatigué.

Il affectait de dédaigner ses malaises, mais le docteur, lui, les prenait au sérieux, de sorte qu'il commençait à avoir vraiment peur. Non seulement d'être malade, mais qu'on en profite pour l'écarter.

— Voulez-vous passer à côté ?

La pièce était étroite, sans fenêtre, avec seulement des instruments et un étroit divan de cuir noir.

— Je dois me déshabiller ?

— Ce n'est pas nécessaire. Mettez-vous à l'aise. Retirez votre veston et votre cravate. Détendez-vous.

Il dut le quitter pour répondre au téléphone.

— Allô ! Non ! C'est absolument impossible. Je sais ! Je sais ! On dit toujours ça. Qu'il s'adresse au docteur Doncœur, qui le verra quand il voudra. Il est prévenu.

L'examen dura près d'une heure, et pendant tout ce temps Dudon se sentit coupé du monde. Il n'essayait plus de plaisanter, n'osait même pas poser de questions. Il ne se disait plus que le docteur Jourdan était un homme comme un autre, qui rougissait en posant les mains sur les hanches d'Anne-Marie dans le petit bureau du fond du couloir. Docile, il se contentait de faire ce qu'on lui demandait.

Ils se retrouvèrent enfin dans le cabinet éclairé par du vrai soleil.

— Je ne crois pas que vous ayez à craindre quoi que ce soit pour le moment, ni même dans l'avenir, mais il est indispensable que vous vous détendiez.

Il poursuivit d'un ton léger :

— Je suppose que, comme tout le monde, vous avez droit à deux ou trois semaines de vacances ? Prenez-les donc dès maintenant.

— Demain ?

— Aussitôt que possible. J'hésite à vous conseiller la mer. Vous aimez beaucoup la mer ?

— Cela m'est égal.

— Dans ce cas choisissez de préférence un coin tranquille à la campagne. Installez-vous dans une bonne auberge avec votre femme et pêchez à la ligne.

— Je ne pêche pas.

— Promenez-vous, sans excès. Etendez-vous sur l'herbe. Je vais vous prescrire des dragées que vous prendrez au moment des douleurs et qui vous aideront.

— Il est nécessaire que je parte ?

— Il est nécessaire que vous vous reposiez.

— Deux semaines ?

— J'aimerais mieux quatre, mais cela vous regarde.

— Je vous remercie, docteur.

— Je rentre moi-même dans quinze jours. Téléphonez-moi à votre retour. Votre femme a mon numéro.

Le docteur devait avoir envie de lui poser d'autres questions, Dudon le devinait à sa façon de le regarder, mais il ne donnait aucune prise, glissait l'ordonnance dans son portefeuille, reboutonnait son veston, cherchait son chapeau des yeux.

— Bonnes vacances.

— A vous aussi, docteur.

Sur son bureau, avenue de l'Opéra, il trouva une note le priant de passer chez M. Philippe. Celui-ci s'était changé et portait un complet de sport clair. Dudon avait aperçu sa voiture à la porte et, comme chez le médecin, avait remarqué des clubs de golf et des raquettes.

— Vous voyez, dit aussitôt Lacroix-Gibet, qu'il n'y avait pas lieu de s'alarmer, mais qu'il était quand même utile que vous rencontriez Jourdan. Il m'a téléphoné après votre départ pour me mettre au courant, comme je lui avais demandé. J'ai pu avoir mon beau-frère au bout du fil et il est tout à fait d'accord avec moi.

— Pour que je prenne des vacances ?

— Vous partirez dès demain matin. Maintenant, il reste une petite question à régler entre nous. Ce ne sont pas des vacances ordinaires, puisque c'est votre accident qui vous oblige à les prendre. Il est donc entendu que vos frais, ainsi que ceux de votre femme, seront à ma charge. Avez-vous une idée de l'endroit que vous choisirez ?

— Pas encore.

— Où preniez-vous vos vacances les années précédentes ?

— Je n'en prenais pas.

Cela causa comme une petite commotion électrique.

— Vous n'êtes jamais allé à la campagne ?

— Parfois à la mer, ces derniers temps, le dimanche, avec Anne-Marie.

Pourquoi ne pas dire Anne-Marie, après tout ?

— Vous lui demanderez de vous choisir un coin tranquille, pas trop loin d'une ville où il y ait un bon médecin. Je ferais peut-être mieux de lui téléphoner. Vous me le permettez ?

Il ne téléphona pas devant lui.

— Il vous suffira d'envoyer votre adresse au bureau, de façon que nous sachions où vous êtes. Je vous ai préparé un chèque à valoir sur vos frais.

Pourquoi avait-il envie de pleurer en sortant du bureau de M. Philippe ? On était gentil avec lui, trop gentil. Cela ne lui paraissait pas naturel. On agissait comme si on lui cachait quelque chose, un peu comme Mme Béchère avec son mari. Il fut encore plus surpris, quelques minutes avant six heures, d'entendre frapper à sa porte et de voir Anne-Marie entrer dans son bureau. Elle portait une robe à fleurs qu'il ne lui connaissait pas, un grand chapeau de paille qui était nouveau aussi. C'était la première fois qu'elle pénétrait dans les locaux de l'avenue de l'Opéra, en tout cas à sa connaissance.

— On m'a désigné ta porte et on m'a dit de frapper.

Il était occupé à ranger ses dossiers.

— Alors, Maurice ?

Il ne comprit pas le sens de son interpellation, ni pourquoi ses yeux étaient si gais.

— Tu boudes ?

— Non.

— N'est-ce pas merveilleux ?

— Qu'est-ce qui est merveilleux ?

— Tout. Nous partons en vacances. On paie nos frais. Nous allons être ensemble du matin au soir, sans rien faire, sans souci, comme à la clinique.

Il la regardait en dessous.

— Tu n'as pas été heureux à la clinique ?

— Oui.

— La différence, c'est que, cette fois, tu n'es pas malade. Je connais un petit hôtel, à Sancerre, au bord de la Loire, où on mange très bien et où les chambres sont gaies.

— Tu y es allée souvent ?

— Deux fois.

— Avec qui ?

Elle fut déroutée. Il ne lui avait jamais posé de questions de ce genre, ni parlé sur ce ton.

Il insistait :

— Ce n'était pas avec M. Philippe, par hasard ?

Cela la fit rire.

— Je peux te jurer que non. Tu tiens à savoir ?

— Non.

— Tu préfères aller ailleurs ?

— Cela m'est indifférent.

— Je suis venue te chercher pour que nous t'achetions des pantalons de flanelle et des chemises de sport tant que les magasins sont encore ouverts. Tu as fini ton travail ?

— Qu'est-ce qu'il t'a dit ?

— Rien. Ce que tu sais.

— Quoi ?

— Que tu as besoin de trois semaines de congé et...

— Deux !

— Si tu y tiens. Deux. Et qu'il considère que c'était à lui d'en faire les frais.

— C'est tout ?

— Absolument tout ?

— Tu n'es pas passée par son bureau ?

— Il était déjà parti.

— Comment le sais-tu ?

— Je l'ai demandé au bonhomme qui est dans l'entrée.

— Pourquoi ?

— Tu es jaloux, Maurice ! C'est vrai que tu deviens jaloux ?

Cela paraissait lui faire plaisir. Il grogna :

— Je ne suis pas jaloux.

— N'oublie pas que tu as une ordonnance à déposer à la pharmacie.

— Cela signifie que le docteur Jourdan t'a téléphoné aussi.

— Ce n'est pas lui. C'est moi. J'étais inquiète.

S'il avait pu, il aurait fermé la porte de son bureau à clef. Il n'avait confiance en personne, surtout en l'absence de M. Pierre. Qui sait si on n'essayerait pas de chipoter dans ses dossiers ? Certaines gens tâchaient de passer par-dessus sa tête et venaient avenue de l'Opéra dans l'espoir d'attendrir un des sous-directeurs. Or les sous-directeurs n'étaient au courant de rien. Cela les flattait de faire étalage de leur influence.

Un seul classeur fermait à clef, et il n'était pas assez grand pour tout contenir. Il y avait rangé les dossiers les plus importants comme le dossier Béchère, mais rien ne lui prouvait que nul dans la maison ne possédait un double des clefs.

Quand ils partirent, il n'y avait plus personne dans les bureaux. Ils eurent de la peine à trouver des magasins encore ouverts. Il ne se sentait pas en train. Il aurait préféré rentrer chez lui et remettre ces questions de départ à plus tard.

— Nous n'aurons peut-être pas de billets pour demain.

— J'ai retenu nos places.

— Et là-bas, à... comment as-tu dit ?

— Sancerre. C'est sur la ligne de Nevers. J'ai téléphoné.

— Je parie que tu t'es assurée qu'il y a un bon spécialiste à Nevers !

— Le docteur Jourdan me l'a dit.

Il ricana :

— Il a dû lui envoyer un mot pour le mettre au courant de mon cas !

» C'est ainsi que cela se passe d'habitude. »

Il avait lancé cela en l'air, comme une plaisanterie. Cela l'effraya encore plus d'apprendre que c'était vrai, et il se demanda s'il était réellement malade.

— Qu'est-ce qu'on craint ?

— On ne craint rien. On prend ses précautions.

— Contre quoi ?

— Contre toute complication qui pourrait survenir. Tu aimes ces chemises ?

— Non.

— Et celles-là, dans le coin de la vitrine ?

— Non plus.

Il avait décidé d'être désagréable. Dans les magasins, il ne prononça que des monosyllabes, en laissant peser sur les vendeurs un regard glauque. Devant une glace à trois faces, dans un pantalon trop long et trop étroit, qu'on prétendait lui arranger en une demi-heure, il se vit le nez de travers, les oreilles beaucoup plus grandes qu'il ne les croyait.

Anne-Marie ne perdait pas sa bonne humeur, ce qu'il considérait comme un mauvais signe. On avait dû lui faire des recommandations.

Il y avait une tâche écrasante qu'il était seul capable d'accomplir. Or il n'avait fait que déblayer le terrain. Quelques dossiers seulement étaient épluchés. Aux quatre coins de Paris, des Mme Pernette et des Justin Béchère se livraient sans joie à leurs sales petites tricheries.

Avant de partir, M. Pierre, au cours de leur dernière conversation, lui avait dit des choses extrêmement pertinentes qui l'avaient frappé.

— Voyez-vous, monsieur Dudon, ces gens-là vous rétorquent qu'ils ne gagnent que tout juste de quoi vivre. C'est de cet argument qu'ils se servent pour excuser leurs irrégularités.

» Or voilà soixante ans que la maison existe. Elle n'est pas la seule dans son genre. Les expériences et les statistiques sont là.

» Donnez le nécessaire à un homme, sans plus, et il y a de fortes chances pour qu'il s'en contente. Donnez-lui le superflu et vous lui inculquerez en même temps des goûts qu'il ne pourra pas satisfaire.

» Les bénéfices de nos dépositaires sont basés sur ce principe comme le traitement des employés dans les grandes banques, dans les compagnies d'assurances et dans toute affaire importante.

» Ce sont rarement ceux-là qui sont malhonnêtes, pour peu qu'on tienne la main. »

Il y avait beaucoup réfléchi. Un jour, quand M. Pierre reviendrait, il lui reparlerait de cette question. M. Pierre, en effet, l'envisageait de trop haut, seulement en idées et en chiffres. Il n'allait pas renifler dans les coins et jamais il n'aurait découvert le truc du vin soutiré dans la cave et des bouteilles qui servaient plusieurs fois.

Qu'est-ce que les Béchère y avaient gagné ? A peine quelques francs de plus qu'en vendant les vins Gibet, car le vin qu'ils recevaient du beau-frère n'était évidemment pas un cadeau et ils devaient le payer. Cela n'améliorait pas sensiblement leur vie, et il est fort probable que, depuis des années qu'ils se livraient à ce trafic, ils vivaient dans les transes.

C'est justement cela qu'il expliquerait. Cela ne contredisait pas les principes fondamentaux de la maison, mais il ne suffisait pas de ne leur laisser gagner que l'argent indispensable.

— Tu ne portes jamais de chapeau de paille ?

— J'en ai eu un quand j'étais petit.

— Tu devrais acheter celui-ci pour la campagne. Essaie-le.

Il était trop petit. On alla lui en chercher un plus grand, et il se voyait toujours le nez de travers ; l'éclairage bleuté lui donnait un drôle de teint.

— Il te plaît ?

— Cela m'est égal.

— Tu veux bien que nous dînions en ville ? Il n'y a rien à la maison, car j'ai commencé les bagages.

— Je n'ai pas faim.

— Et si par hasard j'avais faim ?

— Je n'ai pas dit que je ne voulais pas manger.

— Tu es adorable, Maurice !

— Moi ?

— Tu boudes comme un enfant. Veux-tu que je te fasse un aveu ? Depuis que je suis allée te chercher au bureau, j'ai un peu l'impression que je te vois comme tu étais avant. Je peux maintenant t'imaginer sortant du métro, à Denfert-Rochereau, et marchant vers la rue du Saint-Gothard en jetant des regards farouches aux passants.

— Je ne me regardais pas non plus.

— Tu avais quand même un regard farouche, admets-le !

— Je ne me regardais pas non plus.

— Tu ne jetais pas parfois un regard dans la glace des vitrines ?

Comment avait-elle deviné ça ? Cela ne lui arrivait que rarement, quand il était sûr que personne ne pouvait le voir. Le plus curieux, c'est qu'alors il se découvrait effectivement l'air farouche et qu'il en éprouvait une secrète satisfaction.

— Tu as envie de redevenir comme avant ?

— Non.

— De faire ton lit et de griller ta côtelette en rentrant ? Est-ce que tu achetais des légumes cuits chez la crémière ?

— Bien sûr.

— Et, le dimanche, des coquilles de homard ?

— Cela m'est arrivé. Pas nécessairement le dimanche.

— Combien de fois par mois lavais-tu les torchons à poussière ?

— Je ne les ai jamais lavés. Pourquoi demandes-tu cela ?

— Parce que je le sais. Je voulais te le faire dire. Je les ai vus dans le placard.

— Alors ?

— J'essaie de t'égayer. Nous habitons un joli appartement. On t'a remis cet après-midi un gros chèque et nous venons de te rhabiller des pieds à la tête. Nous partons demain pour la campagne. Le temps est magnifique et tu n'as seulement pas pris la peine de regarder ma robe.

— Pardon. Elle est à fleurs jaunes.

Tout en marchant, elle lui serra le bras d'une main qui frémissait.

— Je t'aime, Maurice, lança-t-elle joyeusement.

Puis, après un silence :

— Tu ne dis rien ?

— Qu'est-ce que je devrais dire ?

— Par exemple : moi aussi.

— Moi aussi.

— Tu le penses ?

Il réfléchit.

— Je crois.

Pourquoi lui avait-elle parlé de la rue Saint-Gothard ?

3

IL y avait des moments où ils retrouvaient presque la vie envoûtante de la clinique. C'était surtout le matin. Les deux fenêtres de leur chambre recevaient le soleil levant, qui, à une certaine heure, baignait le lit tout entier. Ils ne fermaient pas les volets, exprès. Quand Dudon s'éveillait, la nuit, il apercevait des étoiles qui semblaient faire partie de la chambre, entendait le bruissement de la brise dans le feuillage des arbres, le clapotis de la Loire sur les bancs de sable, et toujours, du côté de la campagne, un concert plus ou moins lointain de grenouilles.

Anne-Marie ouvrait les yeux dès les premières lueurs de l'aube. Il la voyait rarement faire : elle sortait du lit pour aller sur la pointe de ses pieds nus tirer le verrou de la porte ; se recouchait vite, se collait à lui de toute sa chair et se rendormait.

Les mouches, plus tard, vers huit heures, dissipaient peu à peu leur sommeil en pompant la sueur de leur peau, et les bruits de l'hôtel, qui n'avaient été jusqu'alors qu'un vague accompagnement à leurs rêves, acquéraient soudain la crudité de la vie.

— Je sonne ?

La même poire en buis qu'à la clinique, avec un bouton d'os au milieu, pendait à la tête du lit. C'était un moment savoureux. La journée n'était pas commencée. Les idées restaient floues. La chair d'Anne-Marie était chaude sous sa chemise de nuit et le lit sentait leur odeur à tous les deux.

Maurice entendait chuchoter à son oreille :

— Tu vas voir qu'elle servira tout l'étage avant nous !

Leur femme de chambre s'appelait Marcelle. Ce n'était pas une fille de la campagne, mais des faubourgs d'une grande ville : Lyon ou Saint-Etienne. A trente ans, elle était aussi abîmée qu'une femme de cinquante, avec des seins mous comme des poches qui pendaient dans son corsage trop large, une jupe toujours mal accrochée à des reins fatigués. Elle avait un enfant, un garçon de neuf ans, Julien, qu'on lui avait permis de garder avec elle et qui la suivait quand elle faisait ses chambres. Dès qu'il s'éloignait, on était sûr d'entendre la voix perçante de la mère qui mettait soudain une note vulgaire dans la maison.

Elle ne se donnait jamais la peine de leur sourire, ne frappait pas à la porte. Elle entrait, embarrassée par le grand plateau sans refermer derrière elle, même s'il y avait des gens dans le corridor. Elle était la première personne à avoir vu Dudon avec une femme dans un lit et il n'y était pas encore habitué. Anne-Marie s'asseyait, arrangeait les oreillers, installait sur ses cuisses le plateau qui n'avait pas de pieds comme ceux de la clinique. Lui ne s'installait que quand Marcelle était partie.

— A quelle heure pourrai-je faire la chambre ?

C'était une petite guerre. Elle les avait pris en grippe dès le premier jour, Anne-Marie se demandait pourquoi. Dudon savait que ce n'était pas à cause d'elle, mais de lui. Ils s'étaient flairés tous les deux, comme des bêtes qui se rencontrent, et elle avait hérissé son poil.

Par les fenêtres, on découvrait le pont suspendu qui enjambait la Loire et qui avait l'air d'une toile d'araignée. Ils avaient beau s'éveiller tôt, ils voyaient sur la rivière quatre ou cinq bateaux plats, peints en vert, immobilisés dans le courant, avec des hommes qui, déjà, pêchaient.

Il n'avait eu mal à la tête qu'une fois, dans le train. Il avait pris une des dragées du docteur et cela avait passé promptement.

Comme à la clinique aussi, il existait des jeux plus ou moins avoués. Les cloisons étaient minces. La salle de bains se trouvait au fond du couloir, près de l'escalier.

— Le monsieur à barbiche ! annonçait Anne-Marie en entendant un bruit de porte. Il va s'enfermer une heure, et tout l'étage sera furieux.

Leur voisine immédiate, dont le lit n'était séparé du leur que par une mince épaisseur de plâtre, était une magnifique femme de vingt-cinq ans accompagnée d'un petit garçon de deux ans. Son mari possédait un garage à Lyon. Il venait passer quelques heures avec elle le dimanche et l'emmenait promener en auto. Le reste du temps, elle était toujours seule avec son fils ; on ne la voyait parler à personne mais, le matin, elle ne manquait pas de saluer chacun d'un sourire.

Tout à l'heure, avant qu'ils sortent du lit, ils la verraient dehors, dans son maillot de bain vert pâle, allant prendre sa place au bord de l'eau avec l'enfant qui portait un maillot rouge. Ces deux taches de couleur restaient à la même place presque toute la journée. Le maillot vert, en deux pièces, cachait à peine le bas du ventre de la femme, et elle en détachait la partie supérieure quand couchée sur le sable, elle se brunissait le dos au soleil.

Elle était assez forte, moins qu'Anne-Marie, d'une chair plus drue et plus lourde. Tous les hommes, en passant, regardaient de son côté.

— Tu ne trouves pas qu'elle est belle, Maurice ?

L'enfant jouait autour d'elle. Deux ou trois fois par jour, elle se baignait avec lui. Ils avaient une petite table près de la fenêtre et elle le faisait manger sans jamais perdre patience.

— Pourquoi n'essaies-tu pas ?

Cela l'avait choqué. Et pourtant, le cinquième ou le sixième jour, il avait été le premier, comme ils venaient de se coucher, à entendre des pas furtifs dans le corridor, puis la porte d'à côté qui s'ouvrait, et enfin des chuchotements etouffés.

— Trop tard ! Tu as laissé prendre la place !

Il ne voulait pas encore y croire. Il avait déjà vu en passant l'intérieur de la chambre, le lit-cage de l'enfant en face de celui de la mère...

— Ecoute...

Lui aussi avait entendu les ressorts du lit. Tous les lits de la maison grinçaient. Anne-Marie, sans fausse honte, avait collé son oreille au mur, et on aurait dit que ce qui se passait à côté lui donnait un plaisir personnel.

— Tu entends ?

— Oui.

Leur lumière était éteinte. Celle d'à côté aussi. Ils voyaient la nuit, par les fenêtres, les traits légers du pont sur un ciel pâle. Un rythme leur parvenait, qui finissait par se communiquer à leurs nerfs, par scander leur souffle, et Dudon resta comme suspendu par l'attente jusqu'à ce qu'enfin un sanglot éclatât, aussitôt suivi par le silence.

Anne-Marie s'était collée à lui, la bouche chaude et goulue ; son halètement, dans le silence de l'hôtel, avait pris les allures d'une réponse orgueilleuse. Elle avait crié, elle aussi, puis avait demandé d'une voix sourde :

— Qui crois-tu que ce soit ?

— Je ne sais pas.

Depuis, c'était un des jeux. L'hôtel était surtout occupé par des familles, employés, fonctionnaires ou petits commerçants pour la plupart. Anne-Marie n'avait pas compris pourquoi, lors de leur arrivée, Dudon avait froncé les sourcils. Il retrouvait, en short et en tenue de pêche, les gens qu'il connaissait si bien. C'était moins riche que l'hostellerie des environs de Chambord, mais, avant leur fortune, les Mallard seraient venus ici aussi, avec leur fille Françoise qui aurait joué à la poupée dans le hall les jours de pluie.

— Je parie que c'est le jeune homme.

Il n'y en avait qu'un, un garçon de dix-neuf ou vingt ans qui accompagnait sa mère. Celle-ci marchait avec deux cannes et il l'escortait du matin au soir de soins et de prévenances.

— Ils ne se sont jamais parlé ! objecta-t-il.

— Il ne faut pas longtemps. Est-ce que tu as dû parler à Jeannette ?

— Ce n'est pas la même chose.

Il aurait voulu mettre à part cette femme-là, dont il ne connaissait pas le nom, comme il avait mis à part M. Pierre. Peut-être pour la même raison, parce qu'elle ne parlait à personne, semblait n'avoir besoin de personne.

Il aurait juré que M. Pierre n'avait pas de maîtresse, non par vertu ou par crainte, mais parce qu'il se suffisait. Il refusait de l'imaginer souriant d'un certain sourire, faisant la cour à une femme, s'efforçant de plaire comme M. Philippe. Peut-être à la façon du docteur Jourdan dans le petit bureau des médecins ? C'est le maximum qu'il acceptait d'admettre.

— Elle n'a pas peur que son fils s'éveille ?

— Que verrait-il, dans l'obscurité ?

Cela le troublait. Il se promettait de ne plus la regarder, et il était sans cesse à la chercher des yeux. Le lendemain, Anne-Marie avait guetté, alors qu'ils étaient au lit depuis près d'une demi-heure, évitant de s'endormir.

— Tu verras qu'il reviendra !

Il n'était pas revenu ce soir-là, mais la nuit suivante, et, cette fois, Anne-Marie n'avait pas attendu.

— Cela ne t'amuse pas ?

Pour un peu, elle aurait frappé de petits coups complices contre la cloison. Cela devait se passer ainsi, en camarades, comme elle disait, quand elle partait jadis en week-end avec des hommes.

Malgré la bonne qui attendait avec impatience pour faire la chambre et qui leur lancerait un regard hargneux en grommelant entre ses lèvres des mots méchants, ils ne se levaient pas tout de suite.

— Tu es ici pour te reposer, n'est-ce pas ? Nous avons décidé de jouer à la clinique.

Il savait qu'elle surveillait sa santé, qu'elle était contente de le voir détendu, mais qu'elle restait anxieuse.

— Tu n'aimerais pas faire venir ta mère pour quelques jours ?

— Non.

— N'allais-tu pas la voir les autres années ?

— Je n'en ai plus envie.

— Tu n'iras plus ?

— Probablement que non.

Elle avait dit cyniquement :

— Il faudra bien que tu y ailles pour l'enterrement.

Il n'avait pas bronché. Ici, justement, il lui arrivait plus souvent qu'à Paris de penser à sa mère. Pas à sa mère en particulier, mais à son enfance. Le quartier qu'ils habitaient, à Saintes, était presque la campagne. Au bout de la rue, on trouvait des prés, avec un ruisseau à écrevisses bordé de peupliers.

Quand il se promenait dans le sentier avec Anne-Marie, qui l'obligeait à marcher tous les après-midi, il était rare qu'il ne retrouvât pas des bouffées de cette époque-là. Un bouquet de noisetiers, surtout, dont les gamins avaient courbé et cassé les branches en cueillant les noisettes, lui mettait à la bouche un goût qu'il croyait avoir oublié ; ou encore, lorsqu'ils s'asseyaient sur l'herbe, l'odeur de l'herbe chauffée par le soleil mêlée à l'odeur de sa propre peau et le crépitement des sauterelles autour d'eux.

— A quoi penses-tu ?

— A rien.

— Cela te rappelle des souvenirs ?

— Non.

— Tu n'aimes pas penser à ton enfance ?

— Non.

— Tu n'étais pas heureux ?

Il avait envie de répondre « non », qu'il n'avait jamais été heureux de sa vie. Pourtant, certaines de ces bouffées-là faisaient fondre quelque chose en lui, et il fermait les yeux.

— Tu ne voudrais pas revivre ton enfance ?

— Non.

Il en était convaincu. En tout cas son enfance consciente. Ce qui l'émouvait, c'étaient les vagues réminiscences d'un âge où il ne pensait pas encore, images floues, qu'il s'efforçait de fixer, la couleur et la densité d'un ciel au-delà d'une fenêtre ouverte, l'odeur de la maison, pas de celle où il avait vécu seul avec sa mère, mais la grande maison de la rue de l'Evêché. Parfois, il était presque capable de reconstituer le visage de son père, et c'était un visage différent de celui des photographies. Se rappelait-il réellement le frôlement de sa moustache contre ses joues ?

— Tu recommencerais, toi ?

— Je ne sais pas. Ce n'était pas si mauvais.

— Tu trichais ?

— Qu'est-ce que tu veux dire ?

— Tu faisais des choses défendues ?

— Comme tout le monde.

— Tu n'avais pas de remords ?

— Je ne m'en souviens pas spécialement. Cela a dû m'arriver.

Lui, avant de s'endormir, passait des moments atroces à récapituler ses péchés. Il lui arrivait même de s'éveiller au milieu de la nuit en criant de terreur, et sa mère venait le recouvrir.

— Quand tu as commencé à aller avec les garçons, tu ne savais pas que c'était mal ?

— Je savais que c'était défendu. C'est sans doute pour ça que je l'ai fait.

— Mais que c'était mal, insistait-il.

— Tu trouves que c'est mal ?

Elle le regardait d'un air réfléchi.

— Je ne me souviens pas. J'ai toujours essayé de ne pas y penser.

— Pourquoi ?

C'était le mot qu'il prononçait le plus souvent, et Anne-Marie s'en moquait en imitant son intonation.

— Parce que la vie ne serait plus tenable.

— Donc, tu avais conscience que c'était mal ?

— Je comprends que ce n'était pas très joli.

— Tu le faisais quand même.

— Il faut bien qu'on fasse quelque chose.

— Et tu n'avais pas de remords ?

Elle avait paru sur le point de découvrir ce qu'il y avait sous les anxiétés de Dudon. Mais peut-être, comme jadis, n'avait-elle pas eu envie d'aller plus avant ?

— Qu'est-ce que tu voudrais que je te réponde? Que je me considérais comme une mauvaise fille ? Eh bien, oui ! Je n'étais pas la seule. Je ne suis pas sûre d'avoir eu des remords, mais j'avais une peur bleue d'un tas de choses : des maladies, de devenir enceinte, de rencontrer mon père juste à ce moment-là, que sais-je ?

— Et après ?

— Quand, après ?

— Quand tu as vécu à Paris.

— Cela t'intéresse fort ?

— Oui.

— Tu veux parler des Jourdan, des Lacroix-Gibet, de ceux avec lesquels je partais le samedi soir parce qu'ils avaient une auto ? Je n'avais pas honte, non. J'aurais autant aimé que la vie soit autrement, voilà !

— Tu ne t'es jamais confessée ?

— Je ne suis même pas baptisée. Ta mère est très catholique, n'est-ce pas ?

— Oui.

Elle soupira, comme pour en finir :

— C'est peut-être ça !

Et elle sortit une cuisse nue des draps, se dressa dans le soleil qui dessinait son corps sous sa chemise, puis, comme elle le faisait volontiers, massa ses gros seins et sa taille.

— Je crois que ton grand tort est de trop penser. Tu ne fais rien sans te demander si c'est bien ou si c'est mal, et tu gâtes ton plaisir. Tiens ! voilà les Bouchon qui vont prendre leur place à la terrasse.

C'était leur vrai nom. Ils avaient au moins quatre-vingts ans chacun et leurs articulations étaient si raides qu'ils se mouvaient comme des automates. Leur élan, quand ils quittaient l'hôtel, était juste suffisant pour les conduire jusqu'à leurs fauteuils d'osier sous un parasol orange où ils reprenaient leur immobilité et où on aurait pu les croire morts sans les battements de leurs paupières ?

— Je me lave la première ?

— Si tu veux.

C'était comme à la clinique, à la différence qu'ici elle ne passait pas dans la salle de bains et qu'il pouvait la regarder. Pour se laver les pieds, elle les mettait l'un après l'autre dans la toilette, risquant chaque fois de perdre l'équilibre.

— Les gens qui passent sur le pont peuvent te voir. Les pêcheurs aussi.

— Cela te gêne, toi?

Il avait envoyé une carte postale à M. Pierre. Avant de la jeter à la boîte, il avait hésité, par crainte que cela soit considéré comme de la courtisanerie. Il était persuadé que M. Pierre comprendrait. Il ne parvenait pas à se le figurer en vacances, dans sa propriété d'Aix-les-Bains, se demandait s'il jouait au golf aussi, ou s'il passait ses journées sous un parasol avec sa femme.

S'il ne comptait pas encore les jours, il n'en était pas moins rassuré par l'idée que les vacances ne seraient plus longues.

Quand ils descendirent, ce matin-là, ils virent le patron, en tenue blanche de cuisinier, qui discutait à voix basse et paraissait mortifié. Ses interlocuteurs, un couple entre deux âges, qui habitait à deux portes des Dudon sur le même couloir, montraient des mines froides.

On se tut à leur passage, mais, quand ils se mirent à table, à une heure, et alors qu'Anne-Marie l'avait à peine quitté, elle était déjà au courant de l'affaire.

Il s'agissait d'un porte-plume réservoir qui avait disparu de la chambre des locataires. Ceux-ci y tenaient énormément, car c'était un souvenir de leur fils qui était mort à la guerre. Ils mangeaient, lugubres, et d'autres pensionnaires, qui devaient savoir, venaient leur parler avec sympathie.

Un peu plus tard, dans l'après-midi, ils entendirent des éclats de voix dans le bureau et Dudon reconnut le timbre criard de Marcelle, leur fille d'étage.

— Tu crois que c'est elle qui a volé ? Je me méfie, car, dans ces cas-là, ce sont toujours les bonnes qu'on soupçonne. Ces gens-là ont fort bien pu perdre leur stylo.

Ils firent leur promenade le long du sentier, rentrèrent un peu plus tôt que d'habitude.

— Tu restes en bas ? Je monte me changer et te rejoins dans quelques minutes.

Elle s'étonna de ne pas le retrouver dans le hall, ni sur la terrasse, descendit jusqu'à la plage, où la mère de l'enfant lui adressa un sourire, regarda dans toutes les directions, aperçut enfin Dudon qui sortait de la cour où il ne mettait jamais les pieds. Il paraissait content de lui.

Elle n'était pas encore habituée à le voir en pantalon de flanelle et en espadrilles, et sa chemise de sport à col ouvert changeait sa physionomie. Elle n'osait pas le lui dire ; lui aussi se sentait toujours mal à l'aise.

— Qu'est-ce que tu faisais ?

Avant de répondre, il s'assura qu'on ne les écoutait pas.

— Je parlais au gamin.

— Quel gamin ?

— Julien, le fils de la bonne.

Elle ne l'avait jamais vu adresser la parole à un enfant. Les enfants, de leur côté, avaient plutôt tendance à s'éloigner de lui. Comme elle le regardait avec surprise, il dit avec satisfaction :

— C'est lui.

Il ne remarqua pas qu'elle sourcillait, justement parce que cette satisfaction l'avait frappée et qu'elle en était alarmée.

— Le stylo ?

— Oui. Je m'en étais douté tout de suite.

— De sorte que la pauvre fille n'y peut rien ?

— Si.

— Qu'est-ce qu'elle a fait ?

— Elle a compris, elle aussi, que c'était son fils. Elle l'a traîné dans leur chambre et l'a battu jusqu'à ce qu'il avoue.

— Comment le sais-tu ?

— Il me l'a raconté.

— Tu es parvenu à le faire parler ?

Elle n'aima pas son sourire.

— Que s'est-il passé ensuite ?

— Elle savait déjà que les locataires s'étaient plaints. Au lieu de rendre le porte-plume, elle l'a cassé en deux et l'a jeté dans les cabinets.

— Tu vas vendre la mèche ?

— Je ne sais pas.

— Tu ne penses pas, Maurice, que ce sont pas nos affaires ?

Elle le retrouvait tout à coup comme le dernier jour de Paris, avec des absences dans le regard. Cela était déjà arrivé les jours précédents, mais en plus bref, en moins marqué. Elle se tournait vers lui au cours d'une conversation et s'apercevait qu'il n'était plus avec elle.

— Tu as encore mis ton masque ! plaisantait-elle.

Elle eut tort, ce soir-là. A chaque repas, on posait sur la table deux carafes de vin de la région. Il était très bon. Elle buvait toujours son vin, mais il ne touchait pas au sien. Certains jours, il en avait été tenté.

— Peut-être essayerai-je demain, disait-il.

Elle crut bien faire, pensa que cela lui changerait les idées, lui remplit son verre de vin blanc au lieu d'y verser de l'eau.

— Tu verras que cela ne te fera pas de mal. A ta santé, Maurice ! A notre vie ! A notre bonne vieille clinique !

On leur servit, elle devait s'en souvenir, des quenelles de brochet. Dudon commença par goûter le vin, l'air condescendant puis, après un premier verre, ne protesta pas quand elle le servit à nouveau.

— Ce n'est pas bon ?

— C'est agréable.

La salle à manger, à cette heure, était animée. Les fenêtres ouvertes sur la terrasse éclairée par des globes électriques qui ressemblaient à des lunes, et le phonographe jouait de la musique légère.

Elle sourit, satisfaite, quand elle le vit boire son second verre sans y penser, et il avait déjà les joues plus colorées, le teint moins cireux.

Il l'écoutait avec bienveillance, la regardait comme on regarde une enfant qui parle de ce qu'elle ne connaît pas. Il n'était pas encore gai, mais il prenait la vie plus légèrement et il ne s'aperçut pas qu'elle lui remplissait son verre pour la troisième fois.

A la fin du repas, son visage était congestionné et il se leva lourdement, accrocha un coin de table en passant.

— Sais-tu ce que nous allons faire, Maurice ? Tant que nous sommes dans les folies, autant continuer, n'est-ce pas ? Tu connais le bistrot qui est au bout du village. Tu l'as regardé plusieurs fois en nous promenant. On y danse, le soir, au son d'un piano mécanique.

— Comment le sais-tu ?

Il ne pouvait pas s'empêcher de poser ces questions-là.

— Parce qu'on me l'a dit.

— Qui ?

— La dame qui a un petit chien. La plupart des pensionnaires vont y faire un tour quand les enfants sont couchés. Peut-être notre voisine y va-t-elle aussi et est-ce là qu'elle a rencontré le jeune homme ?

Il la suivit docilement. Elle lui tenait le bras. La route était sombre, avec seulement quelques maisons éclairées et, comme elle l'avait annoncé, d'autres couples de l'hôtel prenaient la même direction qu'eux. La nuit était très douce et un léger halo entourait les étoiles. Ils entendirent les sons du piano mécanique qui sortaient du petit café de campagne auquel on accédait par six marches de pierre. Il hésita.

— Viens !

Les tables étaient couvertes de toile cirée. Une seule lampe pendait à une des poutres du plafond, au bout d'un fil poussiéreux, et cinq garçons du pays, au visage coloré, faisaient danser les filles.

Il n'entendit pas Anne-Marie qui commandait, ne protesta pas en buvant le vin qu'il trouva dans son verre et, comme elle, il regardait les couples tournoyer bruyamment, en faisant frémir le plancher. Quelques pensionnaires de l'hôtel étaient là, comme eux, en spectateurs. Un seul ménage, arrivé l'avant-veille, et qu'ils n'avaient presque pas vu, avait rejoint les gens du village dans la danse.

Sur le papier peint des murs étaient pendus des chromos et Dudon se souvenait nettement de l'un d'entre eux, un gros homme au nez rouge, à cheval sur un tonneau, qui, lorsqu'il était enfant, se trouvait derrière le comptoir de l'épicerie près d'un miroir fendu.

— Tu as envie de danser ? demanda-t-il.

— Non. Il vaut mieux pas.

— Pourquoi ?

Son sempiternel pourquoi.

— Cela pourrait te faire mal.

Il n'avait pas envisagé de danser avec elle. Il ne savait pas danser. Il n'avait jamais dansé de sa vie.

— Je ne parlais pas de moi.

— Tu voudrais que je danse avec ces garçons-là ?

Cela la fit rire, mais il trouva qu'elle ne riait pas franchement.

— Je m'amuse mieux avec toi. Bois ton verre.

On leur avait servi une pleine bouteille de vin cacheté, et maintenant il buvait de lui-même. Il avait ses gros yeux, ses sourcils qui se rejoignaient.

Quand le sentiment de son imprudence vint à Anne-Marie, il était trop tard.

— Je désire que tu danses.

— Puisque je n'en ai pas envie !

— Tu en as envie.

On aurait dit qu'un garçon courtaud, à l'étroit dans son costume bleu des dimanches, et qui était lavé de frais, avait deviné. Il s'approcha de leur table avec un vague salut au moment où la musique commençait et il se contenta d'attendre, sûr de lui. D'un regard presque dur, Dudon ordonna à Anne-Marie de se lever.

Pendant la danse, le garçon lui parlait en riant, chaque fois qu'elle passait, elle regardait Dudon d'un air anxieux. Elle n'aimait pas son sourire. Elle crut le voir remplir son verre et le vider d'une haleine. Son cavalier insistait pour une nouvelle danse et elle dut s'arracher à ses grosses mains.

— Tu vois ! dit-il quand elle se rassit.

— Je n'ai accepté que pour t'obéir.

Elle but à son tour, par contenance. Il faisait très chaud dans la salle basse de plafond, malgré les fenêtres ouvertes. Une forte odeur de vinasse montait de la cave, dont la trappe était entrouverte à côté du comptoir.

— Partons ! proposa-t-elle.

— C'est toi qui as voulu venir.

— Eh bien ! nous sommes venus.

Elle aurait eu de la peine, par la suite, de dire comment cela avait commencé. Elle était un peu pompette aussi. Ce vin-là était traître. Ils avaient vidé la bouteille jusqu'à la dernière goutte et, en sortant, Dudon regardait les gens sur la piste d'un air de défi.

Peut-être ne se serait-il rien produit si elle ne s'était pas retournée sur une ombre qui les croisait et à laquelle il n'avait pas prêté attention.

— Qu'est-ce que je t'avais dit ? lança-t-elle.

— Qui est-ce ?

— Notre voisine, la dame au petit garçon. Tu vois maintenant comment elle s'y prend ?

— Tu es sûre que c'est elle ?

— Retourne-toi. Elle va passer devant une lumière.

C'était vrai. Il resta longtemps au milieu de la route, à la suivre des yeux. Et, soudain, il prononça avec colère :

— Saleté !

Elle eut encore le tort de rire. Elle se reconnaissait tous les torts.

— Pourquoi ris-tu ?

— Parce que tu te mets en colère à cause d'une femme que tu ne connais pas.

Alors il la regarda dans les yeux et elle commença à avoir peur, tant son expression était implacable.

— Tu crois que je ne la connais pas ? Et toi, je ne te connais peut-être pas non plus ?

Il parlait d'une voix beaucoup plus forte que d'habitude, et il y avait de la lumière au premier étage d'une maison.

— Chut, Maurice !

— Et je ne me connais pas non plus, n'est-ce pas ? Et je ne connais pas la bonne et son fils ?

Elle ne savait pas où il voulait en venir, essayait

de l'entraîner, mais, après quelques pas, il s'arrêtait pour attaquer à nouveau.

— Quand je dis saleté, je sais de quoi je parle et que j'en suis une tout le premier, tu entends ? Tu es une saleté aussi. Tu es une roulure et tu ne l'ignores pas. Si tu n'étais pas une roulure, nous ne nous serions même pas connus.

Il répéta, comme s'il venait de faire une découverte capitale :

— Nous ne nous serions pas connus ! Et nous ne serions pas ici. Et, si cette femme-là n'était pas une roulure, elle ne serait pas ici non plus. Qu'est-ce qui te prend de sourire ?

— Je ne souris pas.

— Je vois bien que tu souris. Cela m'est égal. Tu comprends ce que je veux dire, mais, toi, tu refuses d'en convenir. Avoue !

— J'avoue.

— Qu'est-ce que tu avoues ?

— Ce que tu dis.

— Qu'est-ce que je dis ?

— Ecoute, Maurice, il y a des gens qui nous regardent.

— On m'a regardé toute ma vie. Et toi, tu te figures qu'on ne te regarde pas ? Tu te figures qu'on ne sait pas ce que tu es ? C'est pour ça que tu couches dans mon lit. Un salaud et une roulure, voilà ! Et tu t'excites quand une autre roulure fait l'amour de l'autre côté de la cloison.

Elle protesta, parce qu'elle n'avait plus son sang-froid :

— Toi aussi.

— Parfaitement ! Moi aussi !

Son masque était devenu tragique. L'idée vint à Anne-Marie que le meilleur moyen serait peut-être de courir s'enfermer dans sa chambre, mais elle craignait de le laisser seul.

— Je t'en supplie, Maurice. Le docteur a dit...

— Celui qui te... dans son bureau ?

Il prononça avec une joie sadique, de toute la force de ses poumons, un mot ordurier qu'il employait pour la première fois de sa vie.

— Tu ne comprends donc rien, non ? Tu ne te rends pas compte que tout ça est pourri, que nous sommes tous pourris, que nous sommes sales et puants ?

Il trébucha et elle lui saisit le bras.

— C'est cela, tiens-moi ! Car, par-dessus le marché, je suis ivre.

— Je n'essaie pas de le cacher, moi ! Je suis ivre, tu entends ? C'est parce que je suis ivre que je te dis enfin ce que je pense. Tu as vu M. Mallard, n'est-ce pas ? M. Félicien Mallard ! et Mme Jeanne Mallard. Et il y a encore leur fille Mlle Françoise Mallard. Ils m'ont apporté des fruits. C'est ta salope d'amie qui les a mangés. A toi, ils t'ont donné un pâté. Un pâté Mallard ! Eh bien ! moi, tous les vendredis, moi qu'ils invitaient à dîner chez eux et qu'ils appelaient leur ami, je leur chipais un ou deux billets de mille francs !

L'hôtel n'était plus qu'à cent mètres, mais, maintenant, elle avait peur d'y entrer, car il continuerait sans doute à pérorer dans le hall et dans l'escalier, puis dans leur chambre, d'une voix sonore qu'elle ne lui avait jamais entendue.

— Je n'en avais même pas besoin. Toi non plus, tu n'avais pas besoin de te livrer à des cochonneries avec tous les garçons du quartier. Et la femme qui vient de passer n'a pas besoin d'aller se faire salir par un mâle qu'elle ne connaît pas. Alors, dis-moi pourquoi, hein ?

Elle espéra un instant qu'il allait se mettre à sangloter et que ce serait la fin de la crise. Mais, après être resté un moment immobile et silencieux, il reprenait, le corps vacillant :

— Parce que nous sommes des salauds ! Parce que nous avons besoin de nous couvrir de péchés ! Tu ne comprends pas ce mot-là, car tu n'es pas baptisée, mais c'est exactement la même chose. La seule différence, c'est que je suis plus sale que toi.

— Je t'en supplie, Maurice, parle moins fort. Ou alors je vais te laisser seul.

Il l'attrapa soudain par les cheveux, d'un geste si inattendu qu'elle faillit en crier d'effroi.

— Qu'est-ce que tu dis ? Qu'est-ce que tu dis ? Répète ce que tu viens de dire...

— Je n'ai rien dit. Je...

Il la secouait, en proie à une rage folle.

— Tu ne me laisseras jamais seul, tu entends ? Jamais ! Jamais plus ! Je ne veux pas ! Je ne veux pas ! Je ne veux...

L'excès même de sa violence la fit retomber soudain et il lâcha prise, baissa la tête. Elle entendit sa respiration forte près d'elle. Elle sentait son haleine brûlante et jusqu'au tremblement de son corps.

— Ne me laisse pas, Anne-Marie ! gémit-il d'une voix à peine perceptible. Je te supplie de ne pas me laisser. Je ne te ferai pas de mal. Je le jure sur ma tête. Mais il ne faut jamais que tu me laisses. Tu ne sais pas. Tu ne peux pas savoir. Je suis un pauvre type. Je suis l'homme le plus malheureux du monde. Toute ma vie j'ai été malheureux, et les gens se détournaient de moi parce que j'étais sale. Ils ignoraient qu'ils étaient sales aussi. Moi, je me suis mis à les regarder et j'ai découvert toutes leurs saletés. Ce n'est pas ma faute. Je ne peux pas faire autrement.

Il fut surpris de se retrouver au milieu du pont suspendu et eut un regard anxieux à la surface de la

Loire qui avait l'air de glisser au-dessous d'eux comme une partie du monde qui se dérobait.

— Ne crains rien. Tu n'as pas besoin de me tenir. J'ai trop peur de mourir pour faire ça. J'ai peur de mourir, Anne-Marie. J'ai peur d'être tout seul. Reste près de moi.

— Je suis près de toi.

— Donne-moi ta main. Dis-moi que tu ne m'en veux pas, que je ne te dégoûte pas.

— Tu ne me dégoûtes pas.

— Moi, je me dégoûte. Je me suis toujours dégoûté, même quand j'étais petit. Il ne faut plus jamais me laisser boire. Je suis malade. Cette nuit j'aurai la fièvre et ma tête me fera mal.

— Mais non.

— Ce que je t'ai dit de l'argent Mallard est la vérité. Il n'y a que ça. Je me demande comment ça a pu sortir. Un moment, j'ai cru que j'allais me vider.

— Si cela peut te soulager...

Il l'observa à la dérobée et elle ignorait s'il était encore ivre ou non.

— Tu as pitié ?

Que devait-elle répondre ? Elle était à bout, elle aussi.

— Avoue que tu as pitié.

— Ce n'est pas ta faute.

— Et voilà ! Je le savais ! Je l'ai toujours pensé ! Tu as pitié ! Donc, tu me juges ! Et tu ne te rends pas compte que tu as besoin de pitié, toi aussi !

— Tu as déjà dit que j'étais une roulure.

— Ce n'était pas vrai ?

— Si tu veux. Maintenant, viens te coucher.

Elle avait parlé comme on parle à un enfant surexcité et l'avait saisi fermement par un bras, le forçant à faire demi-tour. Devant eux, quelques rares fenêtres de l'hôtel étaient éclairées et une femme arrangeait ses cheveux devant un miroir.

— Ne me brutalise pas, gémit-il.

Elle comprenait qu'elle ne devait pas lâcher prise.

— Viens ! Lève tes pieds.

Leurs pas résonnaient sourdement sur les planches du pont et parfois Dudon butait. Il mollissait à vue d'œil. Juste au bout du pont, près des piliers de pierre, il se pencha et se mit à vomir tandis qu'elle l'empêchait de tomber en avant et, quand il avait un instant de répit, il balbutiait, les yeux pleins d'eau :

— Pardon...

Dans l'escalier de l'hôtel, elle le poussa pour éviter qu'il tombe en arrière, et il alla s'échouer en travers du lit cependant que, presque aussi malade que lui, les yeux vides, elle s'asseyait près de la fenêtre et défaisait ses chaussures.

4

Il faisait semblant de dormir. C'était facile. Son corps était endolori et sans ressort. Elle dut avoir des soupçons, car elle vint plusieurs fois le regarder de près, et il craignit de se trahir par un frémissement nerveux des paupières.

Le jour pointait à peine quand elle s'était levée une première fois ; elle avait rempli un verre d'eau au robinet de la toilette et pris des comprimés dans une petite boîte en métal, probablement de l'aspirine. Quand elle s'était recouchée, ses pieds étaient glacés et elle les avait collés à ses jambes.

Il s'était rendormi. Beaucoup plus tard, il l'avait entendue qui sortait du lit avec précaution et ouvrait le placard pour y prendre sa robe de chambre. Elle avait tendu un bras au-dessus de sa tête pour pousser le bouton de la poire électrique. Ensuite, elle avait dû guetter et, dès qu'on avait entendu des pas dans le corridor, avait ouvert la porte et chuchoté.

Quelqu'un était entré dans la chambre. En entrouvrant les cils avec précaution, il avait aperçu une nouvelle servante qui posait le plateau sur la table en s'efforçant de ne pas entrechoquer la faïence. C'était une campagnarde.

Anne-Marie l'avait reconduite à la porte, puis était revenue s'asseoir devant la fenêtre ouverte.

Il n'était jamais sûr que, tout en mangeant, elle n'allait pas se tourner de son côté, de sorte qu'il ne se risquait que rarement à l'observer. Elle le soupçonnait sûrement de tricher. Elle avait un mauvais teint, les traits fatigués, et son expression était plus lasse que le matin où elle était venue à la clinique après avoir passé la nuit.

Il respirait avec bruit, sans le faire exprès. Il y avait même des moments où cela devenait un ronflement. Il devait être laid à voir. Un mauvais goût lui emplissait la bouche, ses cheveux étaient collés à son front, sa peau était grasse, son corps moite sous les draps et son odeur plus âcre que d'habitude.

Elle mit très longtemps à manger, en regardant dehors, et il se demandait si la dame au petit garçon était déjà étendue sur le sable. Il n'avait pas enregistré les bruits de l'hôtel. Il y avait des trous, des périodes pendant lesquelles il s'était assoupi tout à fait.

Afin de ne pas l'éveiller en se lavant, elle alla dans la salle de bains au fond du couloir et il eut d'abord peur, si peur qu'il courut s'assurer, dans le placard, qu'elle n'avait pas emporté ses vêtements. La tête lui tournait. Il avait très soif et il but deux verres d'eau, remit le verre exactement à sa place et s'essuya la bouche pour qu'elle ne s'en aperçoive pas. Il n'avait fait que s'entrevoir dans la glace et avait détourné les yeux.

Il mettait une sorte de volonté farouche à s'enfoncer au plus profond du lit, comme si là seulement il se sentait en sécurité. Il ronfla dès qu'elle ouvrit la porte et recommença à souffrir en l'entendant prendre une robe dans le placard. Selon la robe qu'elle mettrait, il saurait si elle avait ou non l'intention de s'en aller. Il était tourné de l'autre côté. Par inadvertance, elle s'assit au bord du lit pour passer ses bas et se releva aussitôt avec la crainte de l'avoir éveillé.

Elle marcha enfin vers l'autre moitié de la chambre, entre lui et la fenêtre, et il hésita longtemps à écarter ses paupières, se demandant s'il n'allait pas trouver son regard braqué sur lui. Quand il s'y risqua enfin, elle était accoudée au rebord de la fenêtre : elle portait une robe de coton blanc très bon marché qu'elle avait achetée pour la campagne.

Elle fumait. La brise portait jusqu'à Dudon l'odeur du tabac. Il ignorait l'heure. Il n'y avait rien pour le renseigner. Le réveille-matin d'Anne Marie, dont il entendait le tic-tac, se trouvait sur la table de nuit, derrière lui.

Il devait être tard, car elle n'avait pas été obligée d'attendre pour disposer de la salle de bains. La plupart des pensionnaires étaient donc sortis. Mais le car de onze heures n'avait pas encore stationné sous les fenêtres.

Même en ne voyant que la nuque et le dos d'Anne-Marie, son profil perdu, il la sentait soucieuse, et elle n'avait pas sa façon habituelle de fumer ; elle allumait ses cigarettes l'une à l'autre, jetant les bouts sur la marquise sans se donner la peine de les éteindre.

Il se sentait pâle, souhaitait être le plus pâle possible. Quand il entendit le vacarme du car s'arrêtant devant l'hôtel et vit qu'elle ne bougeait pas, il comprit qu'il n'y avait plus de danger immédiat qu'elle parte et il oublia un moment le rythme de sa respiration. Quelqu'un montait l'escalier en courant, se précipitait dans le corridor. Il sut que quelque chose de désagréable se préparait. Anne-Marie sembla le pressentir aussi, car elle se retourna avant même que les pas s'arrêtent à leur porte.

Celle-ci s'ouvrit d'une poussée et il fut incapable de faire semblant de dormir plus longtemps. Il regarda, sans bouger, Marcelle, la bonne de l'étage, qui était là, un étrange manteau sur le dos, un chapeau vert sur la tête. Elle frémissait de colère et haletait d'avoir couru.

— Je savais bien qu'il se cachait, lança-t-elle d'une voix plus vulgaire et plus éraillée que jamais.

Elle le désignait du doigt, comme s'il y avait eu une foule derrière elle.

— Regardez-le, cet homme qui a peur d'une pauvre femme et qui fait semblant d'être malade ! Cela ne m'empêchera pas de lui dire ce que je pense, de lui dire qu'il a commis la dernière des saloperies. Et s'en prendre à un gosse, encore ! Voyou ! Lâche !...

Elle fit quelques pas vers le lit et, comme il ne bougeait pas, le regard fixe, elle lui cracha au visage, après quoi elle fonça vers la porte, tandis que le chauffeur de l'autobus actionnait son klaxon avec impatience.

Elle avait laissé la porte ouverte. Anne-Marie alla la refermer, évitant de se tourner vers le lit.

Elle se campa devant la fenêtre, regardant le car où le gamin était déjà installé avec les valises et où on hissait la mère qui levait la tête vers la façade pour crier une dernière injure.

Le vacarme du moteur diminua, mourut dans le lointain et les bruits familiers reprirent leur place.

Alors, seulement, Anne-Marie se retourna. Elle ne souriait pas, mais son expression était naturelle, sa voix aussi, à peine un peu plus neutre que de coutume.

— Tu veux ton café ?

Il la laissa presser le bouton qui pendait à la tête

du lit, mais, bien qu'elle fût très près de lui, elle ne le frôla pas. Elle alla ensuite à la porte pour parler à la bonne, à qui elle remit son plateau.

— Vous monterez seulement du café et du sucre.

A lui :

— Il est trop tard pour que tu manges. On va bientôt déjeuner.

Le crachat ne l'avait pas atteint, sauf quelques gouttelettes, et s'était posé sur l'oreiller, près de sa joue. Il l'avait essuyé furtivement avec un coin du drap pendant qu'elle avait le dos tourné.

— Tu ne te sens pas bien ?

Il fit non de la tête, sans parler.

— Tu as des douleurs ?

La vérité, c'est qu'il ne les avait pas. Sa tête était lourde, mais ce n'était pas la même chose. Il ne voulait pas le lui avouer. Il préféra accepter la dragée qu'elle lui tendait avec un verre d'eau et, quand elle l'aida à se soulever, comme à la clinique, il leva la tête vers elle pour lui adresser un regard reconnaissant.

Il faillit murmurer :

— Pardon !

Puis il pensa qu'il était préférable de ne rien dire. Elle ne disait rien non plus, ne le questionnait pas au sujet de la fille d'étage. Peut-être savait-elle déjà ? C'était probable. Il en était ici comme à la clinique, où elle ne quittait pour ainsi dire pas sa chambre et où elle était au courant de tout ce qui se passait. Or elle s'était rendue ce matin à la salle de bains. Elle avait pu parler à quelqu'un dans le couloir.

Est-ce que tout le monde, à l'hôtel, savait que c'était lui qui avait parlé à l'enfant ? Il n'en avait pas honte. Ce qui venait de se passer lui procurait même une certaine satisfaction, car cela lui prouvait que ses paroles avaient eu le résultat qu'il escomptait.

— *Tu dois le dire !*

— *A qui ?*

— *Au propriétaire. Si tu te tais, tu es un garçon malhonnête.*

— *Pourquoi ma mère ne le dit-elle pas, elle ?*

— *Parce qu'elle n'est pas honnête.*

Peut-être Anne-Marie lui apprendrait-elle un jour comment cela s'était passé au juste ? Le gamin avait dû accuser sa mère la veille au soir, puisque, dès le matin, il y avait une remplaçante.

On frappait à la porte. Cette bonne-ci frappait, le regardait avec curiosité, s'en allait comme quelqu'un qui n'a pas l'habitude du service.

— Tu crois que tu pourras te lever ?

— Je ne sais pas.

— Qu'est-ce que tu ressens au juste ?

Il fit signe que c'était trop compliqué, que cela le fatiguait de parler, et c'était un peu vrai.

— Tout à l'heure, j'irai chercher ton déjeuner.

— Je n'ai pas faim.

— Il faut quand même que tu manges.

On aurait dit qu'ils choisissaient l'un comme l'autre les phrases les plus banales, et ils les prononçaient du bout des lèvres, sans conviction, pour que la vie ait l'air de continuer.

Il le fit exprès de ne pas toucher au repas qu'elle lui apporta et de froncer souvent les sourcils, comme quand il avait ses douleurs dans la tête, afin qu'elle fût inquiète. Elle se méfiait encore un peu. Il était très prudent, évitant de forcer la note, et il crut même bon de lui adresser un pâle sourire de malade.

— Tu n'es pas trop fatiguée ?

— Seulement un peu.

— Tu ne vas pas faire la sieste ?

— Peut-être.

Elle ne se coucha pas près de lui, somnola dans le fauteuil, comme à Passy, quand elle le veillait. Le plus dangereux était passé. Elle l'aida à faire sa toilette et, quand ils descendirent, le soleil déclinait en devenant rouge. La mère et le garçonnet étaient encore sur le sable de la plage, et les couleurs des deux maillots, le vert et le rouge, prenaient dans le couchant comme une valeur éternelle.

Il évita de regarder les gens.

— Cela nous fera du bien de nous promener un moment.

Le soir, à table, sauf qu'ils étaient un peu fragiles tous les deux, on n'aurait rien pu soupçonner de ce qui s'était passé. Elle ne toucha pas au vin. Lui non plus. Ce fut elle qui commanda de l'eau minérale. Les jours avaient raccourci depuis le commencement de leurs vacances. Les soirées devenaient fraîches et, ce soir-là, on vit au-dessus de la Loire comme des îles de brume qui s'étiraient dans le sens du courant.

Il ne lui demanda pas si elle resterait avec lui. Il ne lui demanda rien. Ils se couchèrent sans presque avoir parlé et, après un long moment, comme une longue hésitation, elle mit son bras sur lui ainsi qu'elle avait coutume de le faire.

Ils avaient encore cinq jours à passer à Sancerre. Dudon était inquiet de ne rien recevoir de M. Pierre. Il savait que sa carte postale ne demandait pas de réponse, que c'était son patron et qu'il n'avait pas de raison de lui écrire. Il n'en demandait pas moins chaque matin au bureau, avec une insistance soupçonneuse, s'il n'y avait rien pour lui.

Ils se promenaient comme les autres jours, suivant le même horaire. Souvent, il sentait le regard d'Anne-Marie glisser sur lui. De même qu'elle avait un sens particulier des sons, il lui était venu, à lui, la faculté de deviner quand on l'observait. Il n'ignorait pas qu'elle se posait des questions à son sujet. Alors, il trouva un truc tout simple qui réussit. Il lui suffisait de froncer les sourcils d'une certaine façon en donnant à ses yeux une expression un peu vide.

— Tu as mal ?

— Presque pas.

— Pourquoi ne me dis-tu pas la vérité ?

— Ce n'est pas très fort. Cela va disparaître.

— A Paris, nous irons voir le docteur Jourdan.

Il ne protestait pas. Il se laisserait conduire chez le médecin. Est-ce que quelqu'un pouvait être sûr de ce qui se passait dans sa tête ?

Ce qui impressionnait le plus Anne-Marie, c'étaient ses yeux, quand il leur donnait une certaine expression. On aurait dit qu'à ces moments-là c'est à elle-même qu'elle adressait des reproches, qu'elle avait honte de sa conduite. Il lui arrivait de lui saisir doucement la main.

— Tu verras que cela s'arrangera. Quand nous serons à Paris...

A Paris, elle avait dit :

— Quand nous serons à la campagne...

Leurs vacances étaient finies. Ils n'étaient plus là qu'en attente, comme sur un quai de gare, participant à peine à la vie qui coulait autour d'eux. Le garagiste de Lyon était venu, dans une grosse voiture, chercher sa femme et son fils, et on l'avait vue pour la première fois dans une élégante toilette de ville. D'autres pensionnaires étaient partis. Une bruyante famille de cinq ou six personnes était arrivée sur le tard et n'avait pas encore appris les règles.

La veille de leur départ, à onze heures du matin, comme ils se trouvaient sur la terrasse, ils virent avec étonnement Mlle Tardivon qui sortait de l'autobus et qui aidait une vieille dame à en descendre. Elle ne les aperçut pas tout de suite. Comme à Paris, elle portait un tailleur sombre et un corsage à broderies. La patronne de l'hôtel se précipita au-devant d'elles comme si elle les connaissait depuis longtemps et les embrassa.

— Elles doivent venir chaque année, remarqua Anne-Marie. Tu ne le savais pas ?

— Je savais seulement qu'elle prenait toujours ses vacances la dernière, mais j'ignorais où elle allait.

Elle ne les vit qu'à table et leur adressa un salut un peu contraint. Plus tard, ils se trouvèrent face à face dans le hall.

— Ma femme, présenta Dudon. Vous vous êtes déjà rencontrées.

La mère était assise près d'une plante verte, dans un fauteuil de rotin. Mlle Tardivon avait de grands cernes humides sous les bras.

— Je sais...

Elle avait l'air de vouloir leur échapper. Elle ne restait là que parce qu'elle était bien élevée, le visage tourné vers la vieille dame. Pour rompre le silence, il murmura :

— Rien de nouveau, rue de Turbigo ?

— Rien.

On ne pouvait pas déduire de son attitude si Félicien Mallard avait parlé ou non. Dudon était convaincu qu'il n'avait rien dit et, d'ailleurs, cela lui était indifférent.

Elle jouait avec le sac à main en forme de bourse qu'elle avait fait elle-même et dit soudain, en le regardant en face pour un instant :

— Mlle Françoise est entrée au couvent comme novice.

Puis, aussitôt après, comme si elle avait accompli sa tâche :

— Vous m'excusez ? Maman est toute seule...

-:-

Il n'eut pas l'impression de rentrer chez lui. Son intérieur lui était à peine plus familier que l'hôtel de

Sancerre, mais Anne-Marie, tout de suite, se jeta sur ses vieilles robes de chambre et se mit à faire le ménage. C'était un dimanche soir. Il savait que M. Pierre était rentré et il faillit lui téléphoner chez lui, avenue du Maréchal-Foch. Il n'osa pas. Il dut attendre le lendemain pour se rendre avenue de l'Opéra et, tout le long du chemin, fut en proie à une panique douloureuse. C'est à peine s'il prit le temps de passer par son bureau avant d'aller frapper à la porte de M. Pierre, et alors il entendit la voix familière qui disait :

— Entrez !

Il était quand même arrivé au port. M. Pierre ne devinait pas pourquoi il était si ému que ses lèvres tremblaient tandis qu'il souriait.

— Asseyez-vous, monsieur Dudon.

— Oui. Je vous remercie.

M. Pierre avait le teint à peine plus coloré qu'à son départ. Quant à Dudon, sa peau ne s'était jamais hâlée et, d'ailleurs, il ne s'était guère exposé au soleil.

— Votre femme va bien ?

— Très bien merci.

— Vous n'avez pas revu le docteur ?

— Ma femme doit lui téléphoner dès qu'il rentrera de vacances.

Sans doute donnait-il le change, parce qu'il avait le sang à la tête. Il l'eut jusqu'au soir, et tout le monde fut persuadé que c'était l'effet de son séjour à la campagne.

On n'avait pas essayé de se débarrasser de lui. Il avait retrouvé tous ses dossiers. Il avait même pu, dans l'après-midi, parler à M. Pierre du cas Béchère.

M. Philippe était en Italie, avec une délégation du conseil municipal. Les matins devenaient brumeux et frisquets. Et le soir, quand il sortait du bureau, les réverbères étaient allumés dans les rues.

Plusieurs fois, au cours de la semaine, il remarqua

en rentrant qu'Anne-Marie avait bu. Il n'y avait pas d'alcool chez eux. Sans doute allait-elle prendre un verre dans le voisinage, car elle n'était pas en tenue de sortie.

Cela lui rendait pour un temps son humeur enjouée. Il retrouvait son regard de la clinique et, à ces moments-là, elle avait l'air de se moquer tendrement d'elle et de lui.

Il savait qu'elle n'en continuait pas moins à l'observer et il était sûr qu'elle questionnerait Jourdan à son sujet. Pas par téléphone. Elle irait le voir. Est-ce qu'il se conduirait avec elle de la même façon qu'autrefois ?

Cela lui était égal, pourvu qu'il conservât la certitude qu'elle ne s'en irait pas. Or cela ne dépendait que de lui.

Souvent, le soir, dans leur lit, chacun faisait semblant de dormir et écoutait la respiration de l'autre.

Elle ne l'interrogeait plus sur son activité du bureau, comme si, désormais, elle préférait ne pas savoir. Il y avait des quantités de sujets auxquels, sans s'être donné le mot, ils ne touchaient ni l'un ni l'autre. C'était une affaire d'habitude.

Une fois qu'elle téléphonait à Jeannette, il avait compris, à ses répliques, qu'elle avait rencontré son amie à son insu. Il n'y avait pas fait allusion. Cela ne lui faisait rien non plus.

Il fut surpris, un matin, en passant devant le magasin du coin de la rue, de se trouver en train de se regarder dans la glace. Il avait vraiment l'air implacable d'un homme accumulant dans ses dossiers toutes les vilenies du monde.

Un soir, il rentra chez lui et n'y trouva pas Anne-Marie, alors qu'elle ne lui avait pas annoncé qu'elle sortirait. Il fut incapable de l'attendre dans l'appartement. Il descendit et fit les cent pas devant la porte, tellement anxieux que la tentation lui vint de pénétrer dans un petit bar et de boire. Il vit enfin arriver le taxi. La portière claqua. Elle lui demanda, tout en payant le chauffeur :

— Tu n'as pas ta clef ?

A quoi bon mentir ? Sûrement qu'elle avait déjà compris.

— Si.

— Tu étais anxieux, pauvre chou ?

Elle ne l'avait pas encore appelé ainsi. Elle était fraîchement repoudrée.

— Tu ne m'embrasses pas ?

Il l'embrassa sur la joue. Ils montèrent l'escalier l'un derrière l'autre. En montant, il regardait ses jambes qui allaient en s'élargissant sous la robe. Elle tourna le commutateur électrique, flamba une allumette au-dessus du poêle à gaz.

— Je ne savais pas qu'il était si tard.

Il avait son sourire mystérieux qui l'inquiétait toujours un peu et la mettait mal à son aise. Peut-être avait-elle eu envie de mentir, mais, en fin de compte, elle avait décidé de se taire et elle était allée changer de robe.

Le lendemain, seulement, elle lui annonça à l'heure du déjeuner :

— Au fait, le docteur Jourdan est rentré.

— Tu l'as vu ?

— Oui.

— Quand ?

— Ce matin, à la clinique. Il ne pourra pas t'examiner avant trois ou quatre jours, car il a une quantité d'opérations qui attendent. Il devait en faire sept aujourd'hui. Il n'est pas inquiet à ton sujet. Tu n'as pas eu de douleurs ?

— Presque pas.

Cela arriva le jour suivant. Il y avait plusieurs soirs qu'il y pensait, à la même heure, quand il quittait le bureau et découvrait la guirlande de réverbères de l'avenue, les silhouettes sombres des passants qui se croisaient dans un mouvement de folie.

Ce soir-là, il ne leva pas le bras pour arrêter un taxi, ne se dirigea pas non plus vers l'arrêt de l'autobus. Il traversa la place de l'Opéra et tourna à droite, marcha longtemps, passant de la lumière à l'obscurité et de l'obscurité à la lumière, le regard fuyant. Sans un coup d'œil pour l'église Notre-Dame-de-Lorette, il tourna à droite une fois encore et se mit enfin à gravir la rue des Martyrs.

La boutique de journaux était éclairée. Il passa devant les rideaux de la loge de la concierge dans l'escalier, retrouva le geste de porter la main à sa poitrine comme s'il avait une maladie de cœur. L'éclairage était le même, et le son lointain du timbre électrique au fond de l'appartement alourdi de tentures.

Elle chuchota avec son ancien sourire :

— C'est vous, ami !

Puis, un doigt sur les lèvres, elle l'abandonna derrière un rideau de velours noir dans l'obscurité du corridor.

Elle ne fit pas allusion à son absence. Elle ne semblait pas avoir remarqué qu'il était resté longtemps sans venir. Elle ignorait que c'était lui qui gisait, quelques mois plus tôt, sur les pavés de la rue Choron, avec des jambes autour de lui.

— C'est pour Nicole, n'est-ce pas ?

Elle se trompait. Elle confondait. Cela n'avait pas d'importance.

— Une toute petite minute, ami.

-:-

— Mon père, je m'accuse...

Il avait retrouvé sa voix sourde du confessionnal qui bourdonnait dans l'étroite cage de bois verni comme un violon, et l'abbé Lecas tenait son doigt sur sa tempe.

Il dit son péché, dans les termes d'autrefois, et soudain il se mit à trembler, il sentit un sanglot qui montait dans sa gorge, il cria d'une voix qui lui sembla déchirer le silence de l'église :

— Mon père, je suis le plus grand des pécheurs. Mon père, je ne crois pas. Vous entendez ? Je ne crois pas. Je...

— Chut, mon fils.

— Mais, mon père...

— Calmez-vous et n'oubliez jamais que la miséricorde du Seigneur est infinie.

Dudon le regarda, l'œil égaré, à travers les croisillons de bois qui séparaient leurs deux visages. L'abbé Lecas le regarda aussi, toussa, balbutia avec gêne :

— Recueillez-vous et priez.

Alors Dudon prononça, docile, du bout des lèvres, comme il avait appris à le faire quand il était enfant :

— Oui, mon père.

— Lorsque vous vous sentirez en peine...

A quoi bon ? Il n'écoutait plus. Il attendait les trois dizaines de chapelet.

Il ne parla de rien à Anne-Marie. Elle ne remarqua pas que c'était justement un vendredi qu'il rentrait en retard, ni qu'il avait les prunelles plus claires que les derniers temps.

— Fatigué ?

— Non.

— Beaucoup travaillé ?

— Oui.

Elle constata seulement que ses yeux s'étaient remis à regarder à l'intérieur.

— Mangeons.

— Oui.

Elle n'oserait jamais s'en aller.

21 mars 1951.

OUVRAGES DE GEORGES SIMENON

AUX PRESSES DE LA CITÉ (suite)

« TRIO »

. — La neige était sale – Le destin des Malou – Au bout du rouleau
II. — Trois chambres à Manhattan – Lettre à mon juge – Tante Jeanne
III. — Une vie comme neuve – Le temps d'Anaïs – La fuite de Monsieur Monde
IV. — Un nouveau dans la ville – Le passager clandestin – La fenêtre des Rouet
V. — Pedigree
VI. — Marie qui louche – Les fantômes du chapelier – Les 4 jours du pauvre homme
VII. — Les frères Rico – La jument perdue – Le fond de la bouteille
VIII. — L'enterrement de M. Bouvet – Le grand Bob – Antoine et Julie

★

AUX ÉDITIONS FAYARD

Monsieur Gallet, décédé
Le pendu de Saint-Pholien
Le charretier de la Providence
Le chien jaune
Pietr-le-Letton
La nuit du carrefour
Un crime en Hollande
Au rendez-vous des Terre-Neuvas
La tête d'un homme
La danseuse du gai moulin
Le relais d'Alsace
La guinguette à deux sous
L'ombre chinoise
Chez les Flamands
L'affaire Saint-Fiacre
Maigret
Le fou de Bergerac
Le port des brumes
Le passager du « Polarlys »
Liberty Bar
Les 13 coupables
Les 13 énigmes
Les 13 mystères
Les fiançailles de M. Hire
Le coup de lune
La maison du canal
L'écluse nº 1
Les gens d'en face
L'âne rouge
Le haut mal
L'homme de Londres

A LA N. R. F.

Les Pitard
L'homme qui regardait passer les trains
Le bourgmestre de Furnes
Le petit docteur
Maigret revient
La vérité sur Bébé Donge
Les dossiers de l'Agence O
Le bateau d'Émile
Signé Picpus
Les nouvelles enquêtes de Maigret
Les sept minutes
Le cercle des Mahé
Le bilan Malétras

ÉDITION COLLECTIVE SOUS COUVERTURE VERTE

I. — La veuve Couderc – Les demoiselles de Concarneau – Le coup de vague – Le fils Cardinaud
II. — L'Outlaw – Cour d'assises – Il pleut, bergère... – Bergelon
III. — Les clients d'Avrenos – Quartier nègre – 45º à l'ombre
IV. — Le voyageur de la Toussaint – L'assassin – Malempin
V. — Long cours – L'évadé
VI. — Chez Krull – Le suspect – Faubourg
VII. — L'aîné des Ferchaux – Les trois crimes de mes amis
VIII. — Le blanc à lunette – La maison des sept jeunes filles – Oncle Charles s'est enfermé
IX. — Ceux de la soif – Le cheval blanc – Les inconnus dans la maison
X. — Les noces de Poitiers – Le rapport du gendarme G. 7
XI. — Chemin sans issue – Les rescapés du « Télémaque » – Touristes de bananes
XII. — Les sœurs Lacroix – La mauvaise étoile – Les suicidés
XIII. — Le locataire – Monsieur La Souris – La Marie du Port
XIV. — Le testament Donadieu – Le châle de Marie Dudon – Le clan des Ostendais

SÉRIE POURPRE

Le voyageur de la Toussaint
La maison du Canal
La Marie du Port

ACHEVÉ D'IMPRIMER LE
10 JANVIER 1977 SUR LES
PRESSES DE L'IMPRIMERIE
BUSSIÈRE, SAINT-AMAND (CHER)

— N° d'édit. 311. — N° d'imp. 1672. —
Dépôt légal : 2e trimestre 1967.

Imprimé en France